Timi

PORTUGUÊS LÍNGUA ESTRANGEIRA / PORTUGUÊS LÍNGUA SEGUNDA

Isabel Borges
Martina Tirone
Teresa Gôja

Ilustrações: Liliana Lourenço

Lidel — Edições Técnicas, Lda.

EDIÇÃO E DISTRIBUIÇÃO

Lidel — edições técnicas, lda.

ESCRITÓRIO   Rua D. Estefânia, 183, r/c Dto. - 1049-057 Lisboa
Internet: 21 354 14 18 - livraria@lidel.pt
Revenda: 21 351 14 43 - revenda@lidel.pt
Formação/Marketing: 21 351 14 48 - formacao@lidel.pt/marketing@lidel.pt
Ens. Línguas/Exportação: 21 351 14 42 - depinternacional@lidel.pt
Linha de Autores: 21 351 14 49 - edicoesple@lidel.pt
Fax: 21 352 26 84

LIVRARIA   Avenida Praia da Vitória, 14 - 1000-247 Lisboa - Telef.: 21 354 14 18 - Fax 21 317 32 59 - livraria@lidel.pt

Copyright © dezembro 2011 (1ª edição)
Lidel – Edições Técnicas, Lda.
ISBN: 978-972-757-841-2

LIVRO
Conceção de *layout* e paginação: Elisabete Nunes
Impressão e acabamento: Cafilesa - Soluções Gráficas, Lda. - Venda do Pinheiro
Depósito legal: 337776/11

Capa: Elisabete Nunes

Ilustrações de capa e miolo: Liliana Lourenço

CD Áudio
Autoria das músicas: Dino, Miguel Cervini
Autoria das letras: Luciana Ribeiro
Autoria dos textos: Isabel Borges, Martina Tirone, Teresa Gôja
Produção: Dino
Vozes: Ana Rangel, Dino, Luciana Ribeiro, Miguel Cervini
Músico: Dino, Miguel Cervini
Duplicação: MPO (Portugal) Lda.

Ⓟ & Ⓒ 2011 - Lidel
Ⓛ SPA

APRESENTAÇÃO

TIMI 3 é um manual para alunos que estão a aprender PLE / PL2. Baseia-se, sobretudo, na expressão oral, sendo dada, no entanto, ênfase à expressão escrita e a aspetos socioculturais da Lusofonia .

Este quarto e último nível surge na continuação de TIMI, TIMI 1 e TIMI 2 acompanhando a criança até ao final do 1º ciclo do Ensino Básico (dos 6 aos 10 anos).

O projeto TIMI acompanha, em cada nível, as capacidades cognitivas da criança, quer esta tenha ou não conhecimentos prévios de português, valorizando os seus interesses nomeadamente no que diz respeito ao gosto pela música, jogos, histórias e expressão artística, motivando-a desta forma para a comunicação em português e o desenvolvimento das suas competências linguísticas.

No fim deste quarto volume, o aluno terá as competências previstas no nível elementar (A2) de português com base no Quadro Europeu Comum de Referência para as Línguas do Conselho da Europa.

PREFÁCIO

Aceitámos o desafio da Lidel para embarcarmos nesta aventura, metemos mãos à obra e assim nasceu o PROJETO TIMI. Gostaríamos de deixar aqui o nosso sincero agradecimento a todos os que tornaram possível a sua concretização!

Contagiada pelo nosso entusiasmo, a tartaruga Timi resolve partir à descoberta da Lusofonia, acompanhada por nove fascinantes amigos que vão partilhar connosco novas sensações e conhecimentos de aquém e além-mar. E que viagem!...

Agora que chegamos ao fim, sentimo-nos gratas por saber que tantas crianças vão também ter a possibilidade de viajar pelos caminhos da Língua Portuguesa com a mesma alegria e prazer com que nós próprias o fizemos.

Obrigada Timi!!!

As Autoras

Símbolos da Timi

Ouvir CD

Gramática

Agora eu!

Vamos cantar!

Quiz

Caderno de
Exercícios

Ler

Índice

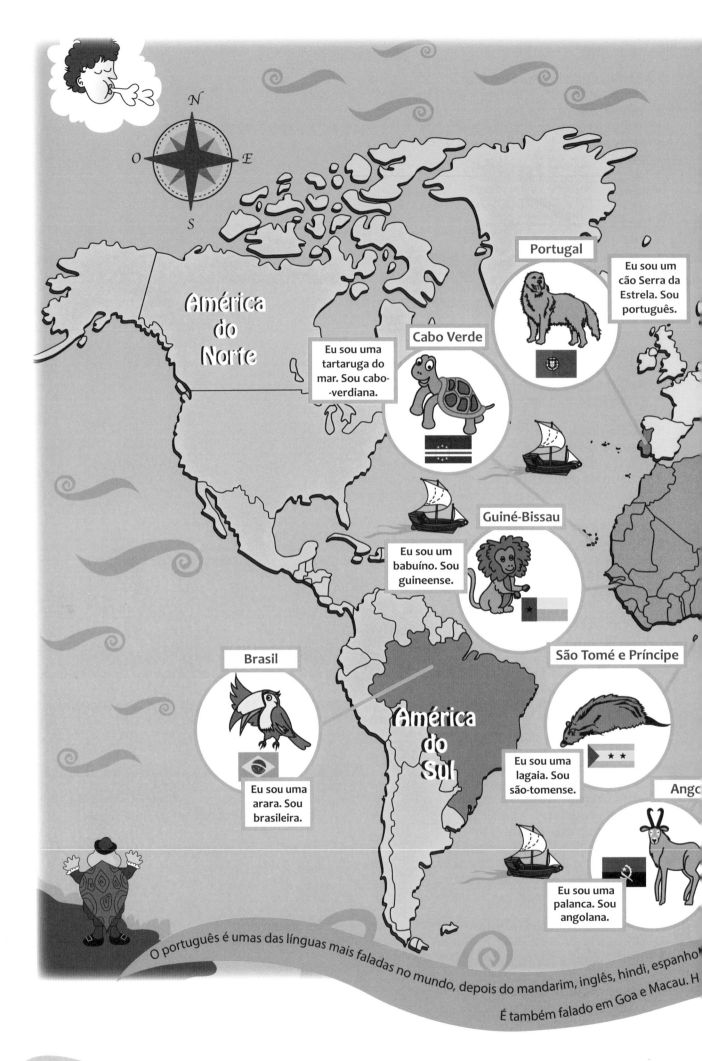

Portugal

Eu sou um cão Serra da Estrela. Sou português.

Cabo Verde

Eu sou uma tartaruga do mar. Sou cabo--verdiana.

América do Norte

Guiné-Bissau

Eu sou um babuíno. Sou guineense.

São Tomé e Príncipe

Eu sou uma lagaia. Sou são-tomense.

Brasil

Eu sou uma arara. Sou brasileira.

América do Sul

Ango

Eu sou uma palanca. Sou angolana.

O português é umas das línguas mais faladas no mundo, depois do mandarim, inglês, hindi, espanho
É também falado em Goa e Macau. H

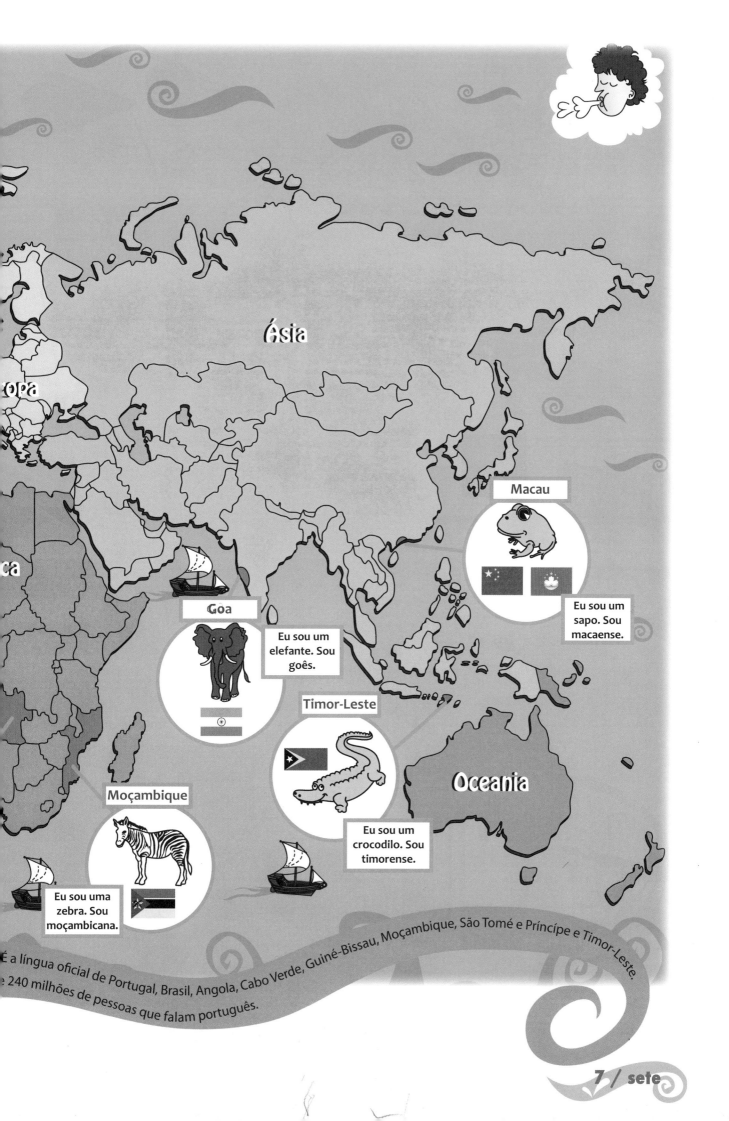

Ásia

Macau

Eu sou um sapo. Sou macaense.

Goa

Eu sou um elefante. Sou goês.

Timor-Leste

Eu sou um crocodilo. Sou timorense.

Oceania

Moçambique

Eu sou uma zebra. Sou moçambicana.

É a língua oficial de Portugal, Brasil, Angola, Cabo Verde, Guiné-Bissau, Moçambique, São Tomé e Príncipe e Timor-Leste. e 240 milhões de pessoas que falam português.

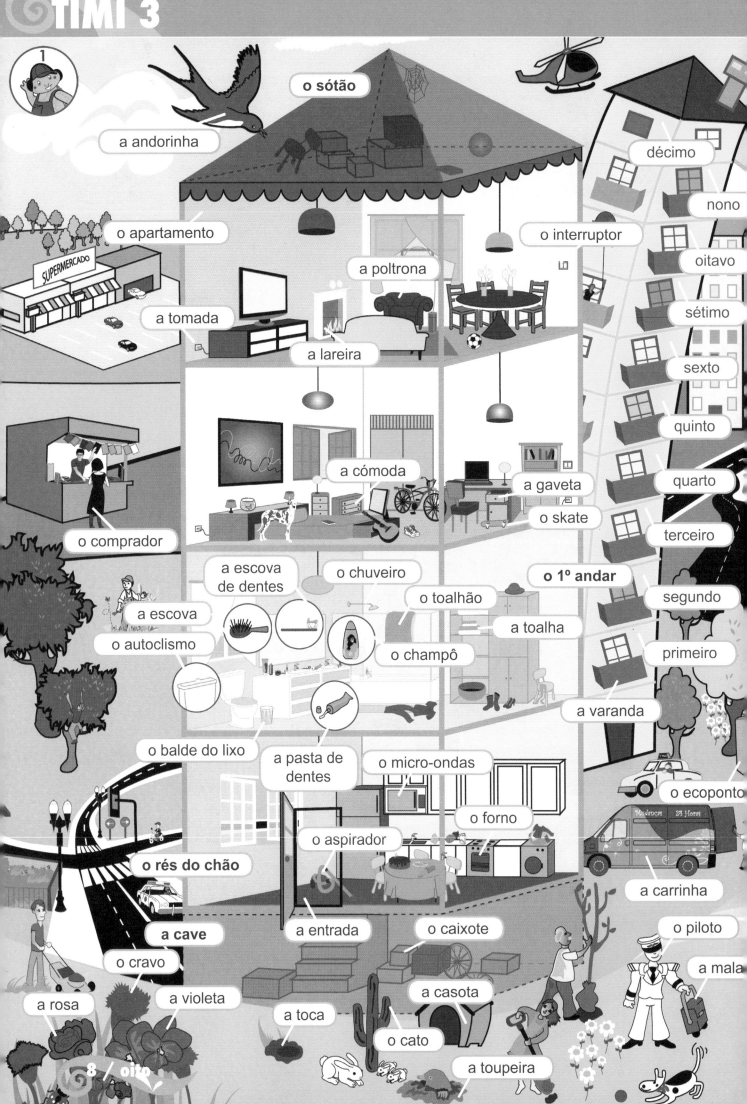

o sótão

a andorinha

o apartamento

a tomada

o comprador

a escova de dentes

a escova

o autoclismo

o balde do lixo

a pasta de dentes

o rés do chão

a cave

o cravo

a rosa

a violeta

a toca

o cato

o chuveiro

a poltrona

a lareira

a cómoda

a entrada

o aspirador

o interruptor

a gaveta

o skate

o toalhão

a toalha

o champô

o 1º andar

o micro-ondas

o forno

o caixote

a casota

a toupeira

décimo

nono

oitavo

sétimo

sexto

quinto

quarto

terceiro

segundo

primeiro

a varanda

o ecoponto

a carrinha

o piloto

a mala

SUPERMERCADO

Unidade 1

1 Ouve e lê.

Hoje é sábado e toda a família ajuda na mudança para a casa nova.

2 Lê e responde.

Em que dia da semana é que a família Coelho faz a mudança?

A família coelho faz a mudança em sábado.

Quem ajuda na mudança?

A Lucas e celeste ajuda na mudança.

Como se chamam os novos vizinhos do Miguel?

O novos vizinhos do Miguel chamam Lucas e celeste.

O que é que a avó oferece às crianças?

O avozinho du Miguel.

Para onde é que eles vão jogar à bola?

Para o parque du predo.

3 Escreve os nomes correspondentes às imagens.

1 ⇨ Predio

2 ⇨ Balde

3 ⇨ INterruptor

4 ⇨ Poltrona

Bonco

Jardin

Apartamento

Catota

Lixo

4 Lê e dramatiza.

O que há no quarto?

No quarto há...

021 101 12014

5 Aprende e completa.

ter	ser	estar	querer
Eu **tenho**	Eu **sou**	Eu **estou**	Eu **quero**
Tu **tens**	Tu **és**	Tu **estás**	Tu **queres**
Ele/Ela **tem**	Ele/Ela **é**	Ele/Ela **está**	Ele/Ela **quer**
Nós **temos**	Nós **somos**	Nós **estamos**	Nós **queremos**
Vocês **têm**	Vocês **são**	Vocês **estão**	Vocês **querem**
Eles/Elas **têm**	Eles/Elas **são**	Eles/Elas **estão**	Eles/Elas **querem**

Tu _tens_ (ter) um irmão.

Ele _é_ (ser) vizinho da avó.

Nós _estamos_ (estar) no jardim.

Vocês _têm_ (ter) um boné.

O cão _está_ (estar) na casota.

A Sofia _quer_ (querer) um fato de treino.

Eu _sou_ (ser) do segundo esquerdo.

Nós _têm_ (ter) coelhos no jardim.

Ele _quer_ (querer) jogar à bola.

Vocês _são_ (ser) gémeos?

Nós _queremos_ (querer) comer bolachas.

6 Aprende e completa.

chamar-se	morar	comer	abrir
Eu **chamo-me**	Eu **moro**	Eu **como**	Eu **abro**
Tu **chamas-te**	Tu **moras**	Tu **comes**	Tu **abres**
Ele/Ela **chama-se**	Ele/Ela **mora**	Ele/Ela **come**	Ele/Ela **abre**
Nós **chamamo-nos**	Nós **moramos**	Nós **comemos**	Nós **abrimos**
Vocês **chamam-se**	Vocês **moram**	Vocês **comem**	Vocês **abrem**
Eles/Elas **chamam-se**	Eles/Elas **moram**	Eles/Elas **comem**	Eles/Elas **abrem**

Eles _comem_ (comer) gelado.

Eu _chamo-me_ (chamar-se) Miguel.

Tu _moras_ (morar) no apartamento.

Nós _abrimos_ (abrir) um presente.

Ela _chama-se_ (chamar-se) Sofia.

A vizinha _abre_ (abrir) a janela.

Vocês _moram_ (morar) no quinto andar?

Tu _abres_ (abrir) a cancela.

Nós _moramos_ (morar) na casa dos avós.

Eu _como_ (comer) bolo.

7 Procura as palavras correspondentes às imagens.

9/10/14

X	E	D	R	V	B	U	I	Ç	P	M	N	G	P
Q	C	R	A	V	O	S	D	C	Ó	M	O	D	A
E	A	P	L	U	Q	F	V	B	U	I	N	M	S
D	S	X	V	B	C	A	N	C	E	L	A	N	S
E	O	R	C	R	T	B	L	P	Q	S	Ç	R	E
D	T	V	B	N	R	T	Q	X	S	C	V	O	I
F	A	T	O	X	D	E	X	T	R	E	I	N	O
B	N	O	T	M	O	P	Ç	R	E	S	D	Q	F
G	É	M	E	O	S	T	B	N	I	Q	A	S	E
Q	F	A	R	N	I	P	Ç	B	N	U	R	E	S
F	U	D	E	C	B	L	A	R	E	I	R	A	P
J	L	A	R	T	H	N	I	L	Ç	L	S	D	C
V	B	T	U	N	J	O	P	E	R	O	D	S	F

8 Completa.

| meu(s) / minha(s) |
| teu(s) / tua(s) |
| dele / dela |
| nosso(s) / nossa(s) |
| vosso(s) / vossa(s) |
| deles / delas |

com + eu	= comigo
com + tu	= contigo
	com ele / com ela
com + nós	= connosco
com + vocês	= convosco
	com eles / com elas

Eu gosto muito do __meu__ avô. Ele brinca __comigo__ (com/eu).
A __minha__ avó mora __convosco__ (com/vocês).
O __meu__ irmão faz os trabalhos de casa __contigo__ (com/tu)?
Eu jogo à bola com os __meus__ primos.
As __minhas__ primas estão no jardim __connosco__ (com/nós).

9 Lê e dramatiza.

Como se chama o teu pai?

O meu pai chama-se Pedro.

10 Observa e completa.

Ex: O coelho mora no terceiro andar.

No ___sexto___ andar há uma rosa.

No quarto andar está um ___esquilo___ à janela.

A andorinha mora no ___sétimo___ andar.

A toupeira está a abrir a janela do ___primeiro___ andar.

No ___segundo___ andar há uma árvore na varanda.

A borboleta do ___décimo___ andar está a comer uma bolacha.

O cão do ___quinto___ andar tem uma ___bola___.

No ___oitavo___ andar havia uma ~~balão~~ balão!

No ___nono___ andar há violetas à janela.

11 Lê e dramatiza.

O que há no segundo andar?

No segundo andar há...

12 Lê e numera as imagens.

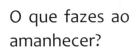

1 No sábado, de manhã, todos ajudam na mudança de casa.
2 No prédio moram muitas famílias.
3 A família do João mora no terceiro andar.
4 À tarde, é a festa do João no jardim.
5 O João abre os presentes.
6 Os meninos querem brincar com os balões.
7 Os vizinhos também comem o bolo de anos.
8 À noite, o cão quer saltar a cancela.

13 Lê e dramatiza.

O que fazes ao amanhecer?

Acordo, levanto-me e visto-me.

a manhã   a tarde   a noite

amanhecer   entardecer   anoitecer

14 Observa.

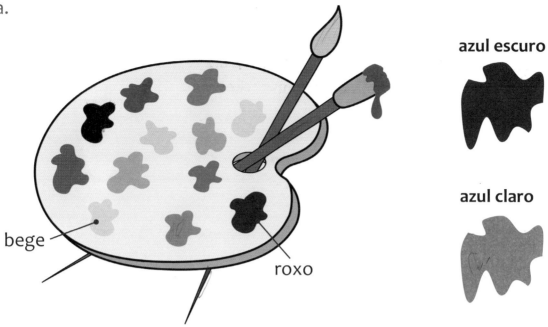

azul escuro

azul claro

bege

roxo

15 Lê e dramatiza.

De que cor é o céu?

É azul.

16 Lê e numera.

1   A bandeira do Brasil é verde e amarela e tem um globo azul no centro.

2   A bandeira de São Tomé e Príncipe é <u>vermelha</u>, verde e amarela e tem duas estrelas pretas.

3   A bandeira de Portugal é verde e vermelha, tem uma esfera amarela e um escudo <u>vermelho</u> com sete castelos amarelos.

4   A bandeira de Macau é verde e tem cinco estrelas e uma flor de lótus.

Data?

17 Pinta e completa.

A bandeira de Portugal é verde vermelha e amarela.

A bandeira de Angola é preta vermelha
e tem uma estrela amarela.

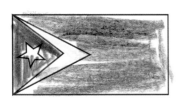

A bandeira de Guiné-Bissau é vermelha amarela, verde
e tem uma estrela preta.

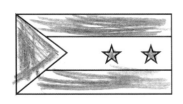

A bandeira de Timor-Leste é vermelha amarela preta
e tem uma estrela blanca.

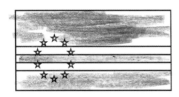

A bandeira de São Tomé e Principe é vermelha verde, amarela
e tem dois estrelas pretas.

A bandeira de Cabo-Verde é azul amarela, vermelha, blanca.

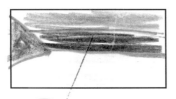

A bandeira de Goa é larniga blanca verde.

A bandeira de Moçambique verde, vermelha, preta amarela.

Agora eu!

18 Escreve.

2ata?

O meu país

língua

capital

O meu país é Inglaterra. Sou inglesa. Eu moro em Londres com a minha família. O resto da minha família mora em Portugal. Em casa falo portugues e na escola falo inglês. Em Londres, mora muita gente de muitos países. A comida tradicional é peixe com batatas fritas. A moeda inglesa é a libra. O clima em Londres é mais frio do que Portugal. As praias em Inglaterra não são tão lindas como em Portugal.

comida

moeda

A bandeira do meu país é Ingluterra.

2ata

19 Lê e observa.

PORTUGAL

Capital: Lisboa
Área: 92 090 km²
População: 10 555 853 habitantes
Moeda: euro
Língua oficial: português

ananás, Açores

estátua de Fernando Pessoa, Lisboa

cão Castro Laboreiro

calçada portuguesa

Lagoa do Fogo, Açores

galo de Barcelos

bananas, Madeira

pastel de nata

castelo de Leiria

espigueiro, Minho

elétrico, Lisboa

Ribeira do Porto

20 Lê e liga.

As casas tradicionais da Madeira têm forma triangular com o telhado coberto de colmo, paredes pintadas de branco, portas vermelhas e janelas azuis.

A torre de Belém foi construída durante o reinado de D. Manuel I, na margem norte do rio Tejo, entre 1514 e 1520, para defesa da cidade de Lisboa. É Património Cultural da Humanidade da UNESCO.

Amália Rodrigues foi uma fadista e atriz, considerada o exemplo máximo do fado – música tradicional portuguesa.

O Pico Alto, na ilha do Faial, Açores, com 2352 metros, é o ponto mais alto de Portugal.

O rio Douro nasce em Espanha e atravessa o norte de Portugal. É o segundo rio mais extenso da Península Ibérica, depois do rio Tejo.

Desde o século XV que os portugueses pescam bacalhau no Atlântico Norte e o cozinham de 1001 maneiras diferentes!

A lenda das amendoeiras

Há muito, muito tempo, o Algarve pertenceu aos mouros, um povo árabe-berbere oriundo principalmente da região do Saara ocidental e da Mauritânia, que conquistou a Península Ibérica (Portugal e Espanha).

Ora, havia, no Algarve, um rei mouro casado com uma bonita rapariga do norte da Europa, que se chamava Gilda.

Era uma rainha bela, mas triste. Nem o casamento, nem as festas, nem os mais ricos presentes a faziam sorrir.

Um dia o rei perguntou a Gilda:

– Mas porque é que estás sempre tão triste, minha rainha?

– Sabes, meu rei, tenho saudades da minha terra, do frio e da neve.

Então, o rei pensou, pensou, pensou e teve uma ideia brilhante: mandou plantar amendoeiras por todo o Algarve.

Algum tempo depois, no inverno, as amendoeiras ficaram cheias de flores brancas.

O rei levou Gilda à torre mais alta do castelo.

Chegada ali, e vendo as terras cobertas de um manto branco, Gilda pensou que era neve e a sua tristeza desapareceu.

E viveram felizes para sempre!

As amendoeiras começam a florir em pleno inverno e conservam a flor, normalmente, até fins de fevereiro.

Lenda popular (adaptada)

23 Vamos cantar!

A AVENTURA VAI COMEÇAR!

Vamos tudo preparar
Para podermos partir.
Tantas terras, tanto mar,
Tanta gente a descobrir!

Somos todos tão diferentes,
Há tanto para aprender
E em outros continentes
Mil amigos quero ter.

Içamos a bandeira
No mastro da caravela,
É verde e vermelha
Com uma esfera amarela.

É na Torre de Belém
Que a viagem vai começar,
Com a Capitão Timi vamos
Navegar, navegar!

Já tenho saudades de casa
E até medo de enjoar!
Mas estou pronto p'ra partir
A AVENTURA vai começar!

24 Responde.

Como se chama a irmã gémea do Miguel?

De que cor é a bandeira de Portugal?

Quem é o irmão da tua mãe?

Que língua se fala em Portugal?

Continua: primeiro, ...

Diz 5 cores.

Conta até 20.

Diz o nome de 3 países onde se fala português.

Ora vamos lá ver.
Quem quer responder?

a sardinha

o leopardo

o camelo

o gorila

o dromedário

a primavera

o verão

gazela

esqueleto

dinossauro

o outono

o inverno

a pegada

o apagador

o polvo

o guiador

a gaiola

o assento

a pulga

a grade

o pedal

a roda

pensar

a mosca

o pincel

o guache

o agrafador

o furador

1 Ouve e lê.

Este ano, há uma exposição impressionante sobre dinossauros, no Museu de História Natural da cidade. A turma da Bruna vai visitá-la.

À direita, está o braquiossauro. É herbívoro, tem quatro patas compridas, um pescoço muito comprido e uma cabeça pequena.

26 m

15 m

80.000 kg

Ah!!!

À esquerda, está um pteranodonte. É voador, tem duas patas e duas asas compridas. Tem um pescoço e um bico muito compridos.

11 kg

4 m

Era tão giro poder voar em cima dele!

Este é o dinossauro anão, o compsógnato. É mais pequeno do que um cão!

Não sabia que havia dinossauros tão pequenos! Sim, o meu cão é bem maior!

70 cm

Anão?... Mais pequeno do que um cão?... Já vais ver!!!

Alguma pergunta? Ho! Ho! Ho!

Olhem ali!

Vamos fugir!

2 Lê e completa o texto.

Este ano há uma _exposição_ impressionante sobre _dinossauros_.
A exposição está no Museu de _História_ Natural da _cidade_.
A turma da _Bruna_ vai visitá-la.
Ao chegar ao museu, os meninos atravessam na _passadeira_.
A turma tem _24_ alunos.
O tiranossauro é _carnívoro_ tem patas traseiras _compridas_ e patas dianteiras _curtas_.
O _braquiossauro_ é herbívoro, tem quatro _patas_ compridas, um pescoço muito _comprido_ e uma cabeça _pequena_.
O pteranodonte é _voador_, tem _duas_ patas, duas _asas_ compridas e um _pescoço_ e um _bico_ muito compridos.

3 Ouve, assinala e ilustra.

Sou muito pequena ○ grande ✓.
Tenho um pescoço comprido ✓ curto ○ mas uma cabeça grande ✓ pequena ○,
olhos muito grandes ✓ pequenos ○ e dois ○ um ✓ bico. ✓
Corro muito ✓ pouco ○, mas só tenho 4 ○ 2 ✓ patas. ✓
Tenho 4 ○ 2 ✓ asas, mas não voo ✓ não salto ○.
Sou carnívora ○ herbívora ✓ mas às vezes como gafanhotos ✓ formigas ○. ✓
Sou a menor ✓ a maior ○ ave do mundo. ✓
Peso 90kg ○ 99kg ✓ e tenho 1,70m ✓ 1,50m ○ de altura. ✓
Só tenho 1 ○ 2 ✓ dedos em cada pata. ✓
Ponho ○ Não ponho ✓ ovos e um ovo dos meus pode pesar 1,5kg ○ 2,5kg ✓. ✓
Posso viver até aos 60 ○ 70 ✓ anos. ✓
Quando há perigo, escondo a cabeça na água ○ areia ✓. ✓

4 Procura 10 palavras e ilustra-as.

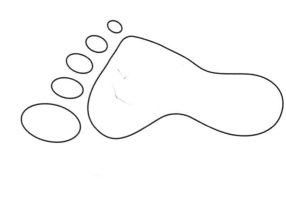

A	B	N	S	G	R	A	D	E	S	T	M	Ç	P
V	A	R	C	B	N	U	O	P	R	T	G	H	R
E	S	E	A	A	P	V	D	N	I	P	P	L	A
S	Ç	I	J	Á	I	Q	I	L	O	P	A	R	T
T	J	L	R	I	N	O	C	E	R	O	N	T	E
R	Q	E	R	V	C	B	I	J	O	L	T	Ç	L
U	F	G	G	E	E	A	O	Z	C	V	E	R	E
Z	T	J	L	Ç	L	E	N	U	H	J	R	A	I
D	E	R	F	G	T	H	A	A	X	C	A	V	R
B	E	S	Q	U	A	D	R	O	E	R	B	M	A
Q	D	R	C	V	B	M	I	U	L	Ç	T	E	I
V	R	S	D	T	G	L	O	B	O	G	L	Ç	P
Q	E	S	F	C	V	B	N	U	T	R	F	Q	A
X	E	P	I	N	G	U	I	M	R	T	V	U	E

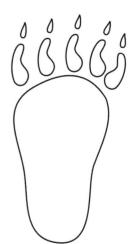

5 Escreve frases como no exemplo.

18/11/14

ir
Eu **vou a**
Tu **vais a**
Ele/Ela **vai a**
Nós **vamos a**
Vocês **vão a**
Eles /Elas **vão a**

a + a = à
a + o = ao

para

Ex.: **Eu vou à piscina. / Eu vou ao jardim. / Eu vou para a escola.**

exemplo

Eu   vou á piscina.
Tu   vais á escola
Ele   vai para o jardim
Ela   vai para a escola
Nós   vamos á piscina
Vós   vão a escola
Eles   vão a piscina.
Elas   vão ao o jardim.

6 Treina com um colega.

Ex.: **É a minha** _____ .   **É o meu** _____ .

São as minhas _____ .   **São os meus** _____ .

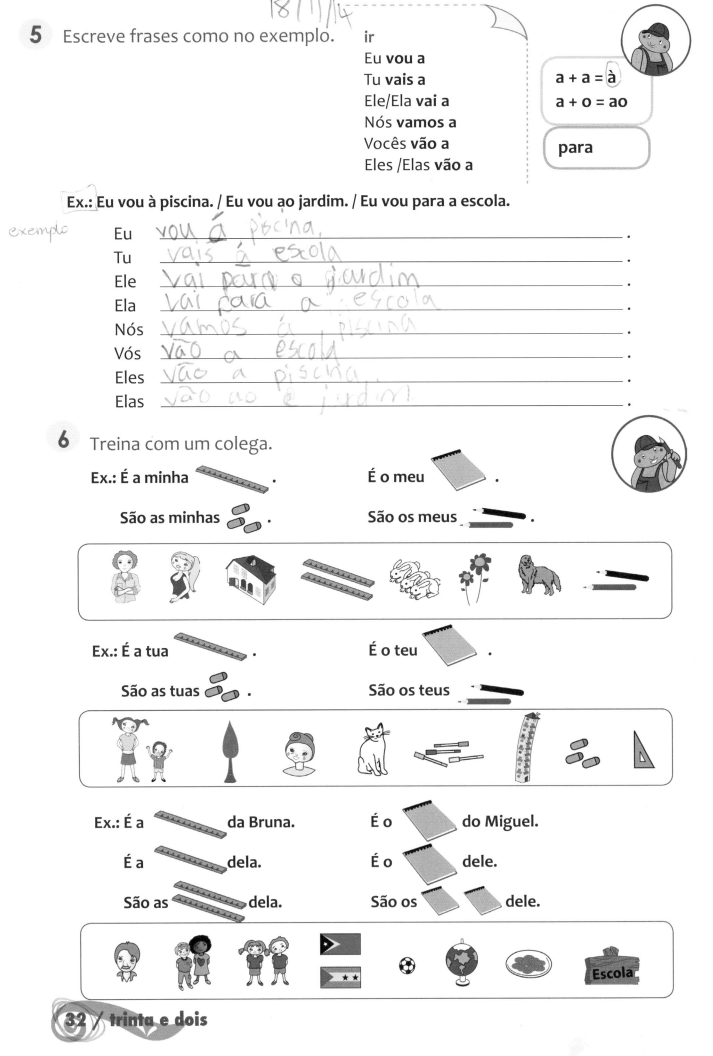

Ex.: **É a tua** _____ .   **É o teu** _____ .

São as tuas _____ .   **São os teus** _____

Ex.: **É a** _____ **da Bruna.**   **É o** _____ **do Miguel.**

É a _____ **dela.**   **É o** _____ **dele.**

São as _____ **dela.**   **São os** _____ **dele.**

7 Escreve os nomes correspondentes às imagens.

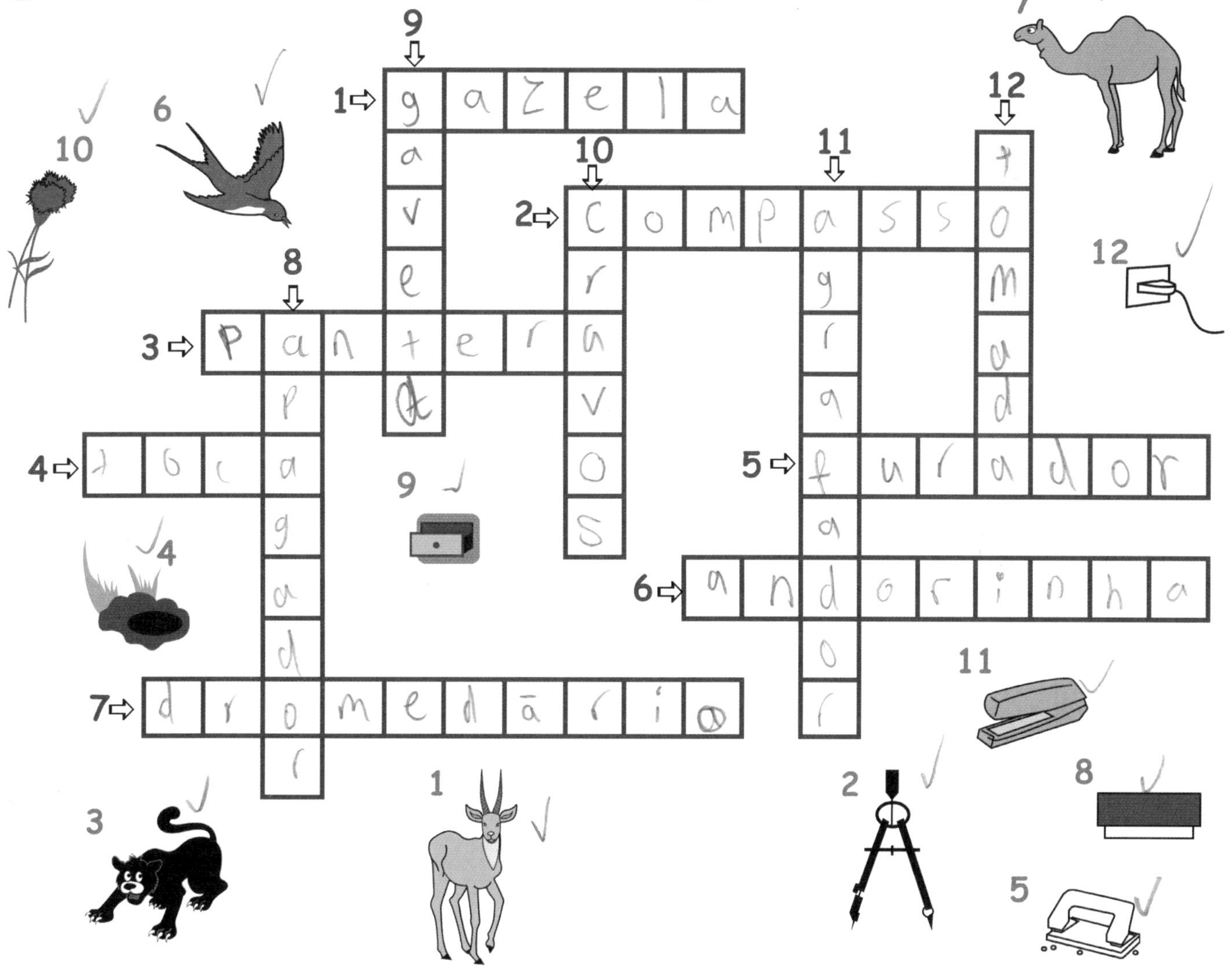

8 Lê e dramatiza.

aqui
aí
ali
Onde está a borracha?
Aqui.
Aí.
Ali.

2v/11/14

9 Pinta e completa.

O meu monstro

O meu monstro chama-se _fantosma_ e tem _90_ anos.
Mede _4 m_ de comprimento e _9_ de altura.
Pesa _12_ kg.
O meu monstro come _vampiros, humanos loxbos_
e bebe _Sangue de vampros_.
Vive _no asia e no américa_

vampiros   sangue
humanos

10 Joga com um colega.

Hipopótamo
Vive: África

Comprimento: cerca de 3,5 m

Peso: 4 000 kg

Idade: 40-50 anos

Camelo
Vive: América, Ásia, África

Comprimento: 1-3 m

Peso: 725 kg

Idade: 40-50 anos

Águia
Vive: Europa, Ásia, América

Comprimento: 1 m

Peso: 2,5 kg a 12 kg

Idade: 70 anos

Gorila
Vive: África

Comprimento:1,4-1,8 m

Peso: 225 kg

Idade: 40-50 anos

Pinguim
Vive: Antártida, América, África

Comprimento: 1 m

Peso:15-35 kg

Idade: 30 anos

Leopardo
Vive: Ásia, África

Comprimento: 1,5 m

Peso: 90 kg

Idade: 30 anos

Avestruz
Vive: África

Comprimento: 2-2,5 m

Peso: 100-150 kg

Idade: 50-70 anos

Rinoceronte
Vive: África

Comprimento: 3,80 m

Peso: 3 000 kg

Idade: 30-35 anos

Quanto pesa um gorila?

Pesa...

11 Lê e escreve frases.

Nós	abrir	na água	no jardim.
O Lucas	brincar	pasta de dentes	no apartamento.
O pássaro	ajudar	às escondidas	na piscina.
Tu	beber	a mãe	na árvore.
Eu	procurar	sumo de laranja	no baloiço.
Os sobrinhos	saltar	um prato	no supermercado.
A vizinha	escrever	comida	na escola.
A Sofia	comprar	uma cancela	na cozinha.
Vocês	partir	uma história	na garagem.

Ex.: Nós brincamos às escondidas, no jardim.

Os sobrinhos brincar na água na piscina.

A Sofia comprar comida no supermercado.

Eu beber sumo de laranja no baloiço

O pássaro brincar na uma cancela na cozinha.

Tu escrever história na escola.

12 Observa o exemplo e escreve.

Ex.: <u>uns</u> guaches

um / uns
uma / umas

uns guaches	os guaches
um dicionário	o dicionário
uma pantera	a pantera
uns pincéis	os pincéis
uma gorila	o gorila
uma gaiola	a gaiola
uma tesoura	a tesoura
uns lápis	os lápis
um pinguim	o pinguim
umas grades	as grades
uma águia	a águia
uns marcadores	os marcadores
um estojo	o estojo
uma mochila	a mochila
umas páginas	as páginas
uma avestruz	a avestruz

20/11/14

13 Liga e escreve frases.

1 O hipopótamo	a veste-se sempre de preto e branco.
2 Os camelos	b vive nas altas montanhas.
3 A águia	c come as folhas das árvores.
4 O elefante	d nada muito bem.
5 A zebra	e tem dois dentes muito compridos.
6 A foca	f andam facilmente no deserto.
7 Os macacos	g dormem durante todo o inverno.
8 A girafa	h trepam facilmente às árvores.
9 Os ursos	i gosta muito de estar na água.
10 As gazelas	j correm com muita rapidez.

1 i __O hipopótamo__

2 f __Os camelos__

3 b __A águia__

4 e __O elefante__

5 a __A zebra__

6 d __A foca__

7 h __Os macacos__

8 c __A girafa__

9 g __Os ursos__

10 j __As gazelas__

14 Lê e dramatiza.

O meu animal é grande, tem quatro patas, dois dentes compridos e uma tromba.

Já sei! É o elefante.

15 Lê e observa.

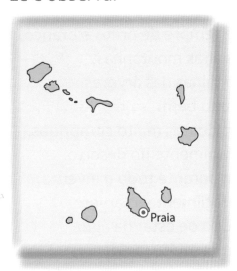

CABO VERDE

Capital: Praia
Área: 4 033 km²
População: 567 000 habitantes
Moeda: escudo cabo-verdiano
Línguas oficiais: português

Santo Antão

Pico do Fogo, Fogo

pesca artesanal

Mindelo, São Vicente

Carnaval do Mindelo, São Vicente

trapiche, Santo Antão

batucadeiras

Tarrafal de Monte Trigo

Festival de Música da Baía das Gatas, São Vicente

Kiki Lima, artista cabo-verdiano

dragoeiro

Torre de Belém, São Vicente

16 Lê e liga.

O cuscuz é um bolo tradicional, feito com farinha de milho e cozido a vapor num recipiente de barro especial (binde). Leva pouco açúcar e é, normalmente, comido quente, às fatias, com manteiga.

A morna é um género musical e de dança de Cabo Verde. Cesária Évora é a cantora mais famosa deste ritmo cabo-verdiano.

A cachupa é um prato de milho, vários tipos de feijão, carne, chouriços, mandioca e couve.

A Kola Son Jon celebra o dia de São João. Na festa, são usados vários barcos, representando as caravelas portuguesas e os navios dos piratas que saqueavam as ilhas.

Em Cabo Verde existem cinco espécies de tartarugas: tartaruga verde, tartaruga vermelha, tartaruga de casco, tartaruga parda e a tartaruga olivácea.

Com uma história e arquitetura muito interessantes, a 26 de junho de 2009, a Cidade Velha foi considerada, pela UNESCO, Património Mundial da Humanidade.

Ouve e lê.

Três dias depois, chegam a Cabo Verde, à Ilha de São Vicente.

Depois de uma semana de música, festa e boa comida, chega a hora da partida.

Blimundo

Era uma vez um boi enorme, lindo e forte.

Ele trabalhava muito para um rei e não parava de pensar como deixar aquele "trabalho de escravo", que só tornava o rei mais rico.

– Cada vez trabalho mais. Estou cansado!

Um dia, fugiu do palácio para bem longe.

O rei, furioso, mandou os soldados trazer o boi de volta, vivo ou morto.

Os soldados partiram cheios de medo. Desceram e subiram rochas, tremeram com os mugidos do Blimundo e fugiram.

Um dia, a rainha teve uma bela ideia:

– Ele gosta de música. Conheço um rapaz que toca muito bem cavaquinho.

E o rapaz partiu à procura de Blimundo.

Andou, andou, desceu e subiu, tocando e cantando, até que ouviu os mugidos, primeiro muito ao longe, depois cada vez mais perto.

Blimundo aproximou-se e pediu:

– Toca mais perto do meu ouvido e, para que não te canses tanto, sobe para o meu pescoço.

A canção dizia que, se ele acompanhasse o rapaz, se casaria com a Vaquinha da Praia.

E eles andaram, andaram, desceram e subiram, até que chegaram ao palácio do rei e ninguém queria acreditar no que via.

O rei convidou Blimundo a ir ao barbeiro para se preparar para o casamento, mas havia já maldades combinadas com o barbeiro...

Blimundo sentou-se, foi ensaboado e recebeu um golpe de navalha no pescoço.

Com a força dos coices de Blimundo, o rei voou e desapareceu para sempre.

E o nosso Blimundo foi viver a sua liberdade e a lembrança do seu amor para outra terra.

Lenda popular (adaptada)

19 Vamos cantar!

CABO VERDE É SABE-SABE

> Terra à Vista!
>
> Que bom, é Lua Cheia!
> Chegámos mesmo na hora:
> O Festival da Baía das Gatas
> Vai começar agora!
>
> É um festival de música,
> As batuqueiras estão a chegar,
> Vamos comer boa cachupa,
> Vamos cantar, vamos dançar!
>
> Cabo Verde
> É "sabe-sabe", é "coisa boa"!
> Cabo Verde é morabeza,
> "Morabeza" é "vida boa"!
>
> É na Praia da Laginha
> Que as tartarugas vão desovar
> Eu vou ter novas priminhas
> A vida delas vai começar.
>
> Vamos dar-lhes as boas vindas
> Agora, que acabam de nascer,
> Vamos deixá-las com "sôdade"
> P'ra que nos queiram voltar a ver!

20 Responde.

O que há na exposição de Museu de História Natural?

Quem enterra a cabeça na areia quando há perigo?

O que tens dentro da tua mochila?

Quantas ilhas tem Cabo Verde?

Diz 3 números entre 3o e 7o.

Diz os nomes de 5 animais.

Indica 3 objetos da sala de Estudo do Meio.

O tiranossauro come...

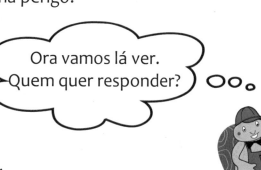

Ora vamos lá ver.
Quem quer responder?

largo / estreito

o casaco de lã

o colete

o sapateiro

a manga

o ferro de engomar

o sobretudo

a tábua de engomar

passar a ferro

o lenço

o salto alto

o cabide

triste / feliz

o cabelo ruivo

tricotar

a pulseira

os colãs

a madeixa

fino / grosso

o carrinho
de linhas

o brinco

a trança

a agulha

a linha

o fecho

abotoar

a fivela

duzentos

quatrocentos

seiscentos

oitocentos

mil

100
200
300
400
500
600
700
800
900
1000

cem

trezentos

quinhentos

setecentos

novecentos

desfilar

a mala

a passarela

a/o modelo

o leque

o cabelo encaracolado

1 Ouve e lê.

Este ano foi um ano fantástico! O professor de Artes Plásticas organizou uma passagem de modelos na escola. Os alunos estão muito entusiasmados.

2 Lê e responde.

Quem organizou a passagem de modelos?
O professor de Artes Plásticas.

Os alunos gostaram da ideia?
Os alunos ficaram muito entusiasmados.

Quem ajudou a Celeste a fechar o fecho?
O menino ajudou a celeste fechar o fecho.

Porque é que o Miguel não quer pôr uma gravata?
Porque o Miguel tinha vergonha.

Quem passou a saia da Celeste a ferro?
A professora passou a saia da Celeste.

Como são as botas que o Miguel escolheu?
O botas do Miguel são bicudas com estrelas

3 Aprende e treina com um colega.

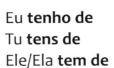

Ex.: Já está tudo pronto para a passagem de modelos?
Não, a Celeste ainda tem de apertar os ténis.

ter de

Eu **tenho de**
Tu **tens de**
Ele/Ela **tem de**

Nós **temos de**
Vocês **têm de**
Eles/Elas **têm de**

Eu

Tu

Ela

Nós

4 Lê, completa e ilustra.

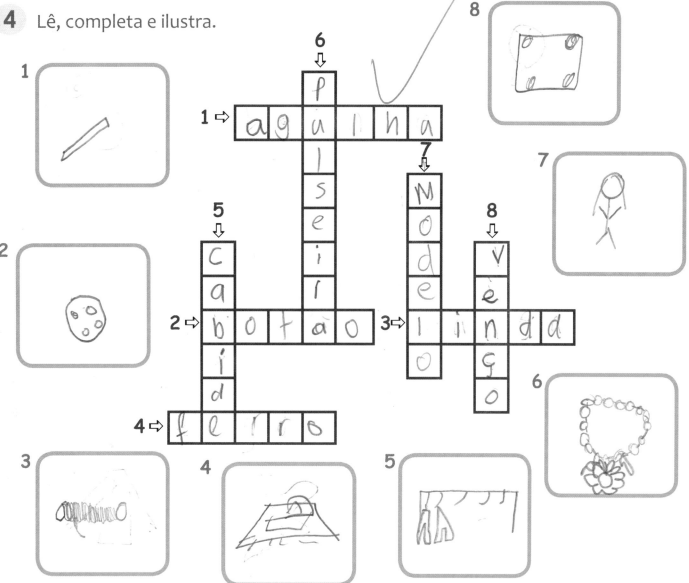

Horizontais

1. Serve para coser a roupa.
2. "Qual é a coisa, qual é ela, que mal entra em casa se põe logo à janela?"
3. Anda sempre de carrinho.
4. Serve para engomar.

Verticais

5. Serve para pendurar a roupa.
6. Usa-se no braço.
7. Desfila na passarela.
8. Pode-se usar na cabeça ou para limpar o nariz.

5 Lê, faz a conta e responde.

15 A Bruna escolheu 15 botões para o vestido dela.
21 A Celeste escolheu mais 6 do que ela.
11 O Miguel precisou de menos 10 do que a Celeste.
De quantos botões precisaram eles ao todo?

_____ 47 _____ .

6 Aprende e completa.

Ontem...

Ex.: Ele cortou as calças.

Eu	corteí o papel.
Tu	cortaste as mangas.
Ele	cortou o vestido.
Ela	cortou a relva.

Nós	cortámos o bolo.
Vocês	cortaram o cabelo.
Eles	cortaram a corda.
Elas	cortaram o tronco.

Ontem...

Ex.: Tu coseste a saia.

Eu	cosi a camisola.
Tu	coseste a t-shirt.
Ele	coseu o vestido.
Ela	coseu o botão.

Nós	cosemos o calsos.
Vocês	coseram o lingo.
Eles	coseram o capel.
Elas	coseram a cotina.

Ontem...

Ex.: Eu vesti a camisola.

Eu	vesti a camisola.
Tu	vestiste a calsos.
Ele	vestiu a t-shirt.
Ela	vestiu a camisola.

Nós	vestimos o casaco.
Vocês	vestiram o puto.
Eles	vestiram a saia.
Elas	vestiram o casaco.

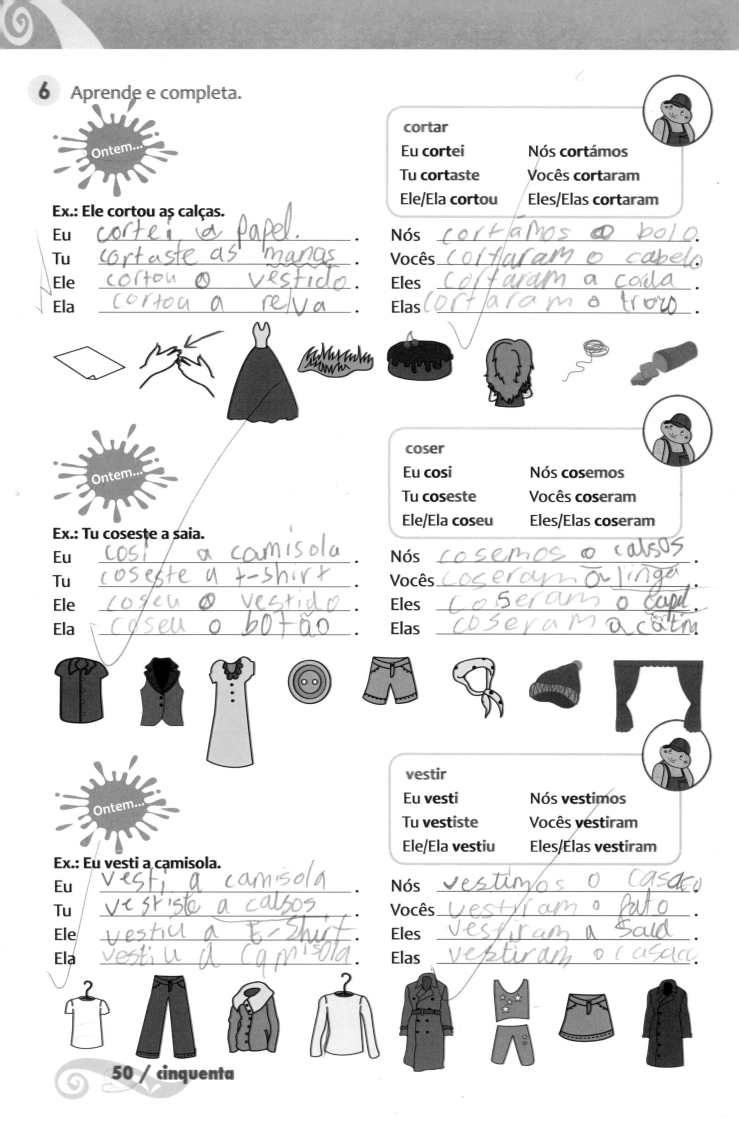

7 Pinta ou cola uma fotografia e escreve.

O que veste o teu ídolo?

Frases, por favor.

Gosta de vestir...

Gosta de usar...

Gosta de calçar...

saia
T-shirt
vestido
calas
casaco
camisola
calsos

sapatos
botas
sandals

8 Lê e completa.

1º 2º 3º 4º 5º 6º

Quem é que tem um chapéu verde? <u>3</u> .
Quem é que tem uma pulseira? <u>5</u> .
Quem é que tem um cachecol? <u>1</u> .
Quem é que tem um boné vermelho? <u>2</u> .
Quem é que tem uma mala vermelha? <u>6</u> .
Quem é que tem uns calções verdes? <u>3</u> .
Quem é que tem cabelos loiros? <u>5</u> .
Quem é que tem uma saia vermelha? <u>5</u> .
Quem é que tem uma trança? <u>5</u> .
Quem é que tem uns calções pretos? <u>4</u> .
Quem é que tem umas calças pretas? <u>1</u> .
Quem é que tem um vestido cor de rosa? <u>6</u> .

9 Ouve e pinta.

12

É mesmo louco, não é?

10 Joga com um colega e descobre quem é.

11 Escreve rimas.

bonita / Rita
Ana / banana

Ai que bonita
a saia da Rita.
É como a da Ana
mas com uma banana!

Eu sou a...

Eu sou a...

Paizinho, Paizinho
ficas no sofá sózinho
a beber vinho
e a dormir um soninho.

/
/

Eu fui a loja
para uns docinhos comprar
comprei uns chocolates
e vou-me pilliciar

/
/

/
/

12 Adivinha.

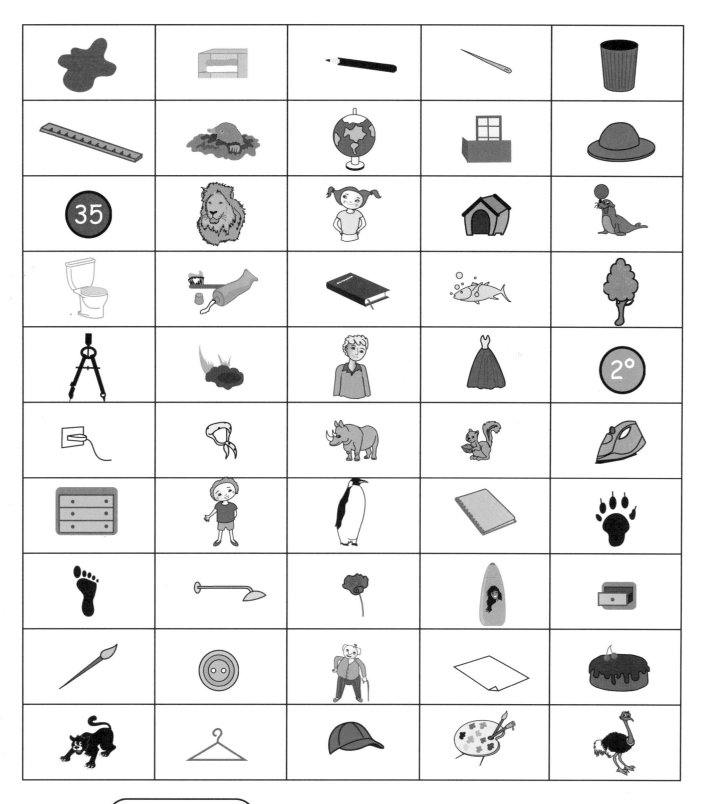

É uma cor e tem dois nomes.

Já sei! É o número 1. Vermelho ou encarnado.

13 Lê e observa.

GUINÉ-BISSAU

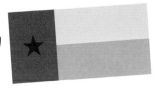

Capital: Bissau

População: 1 449 230 habitantes

Área: 36 125 km²

Moeda: franco CFA da África Ocidental

Línguas oficiais: português

fanado, cerimónia tradicional, Bubaque, Bijagós

mulher Bijagó a fazer saia tradicional

piroga no Rio Geba, Bafatá

Bubaque, Bijagós

hipopótamos, Ilha de Orango

mulher a pilar arroz, Ilha da Caravela

mulheres do Régulo, Biombo

Régulo da tabanca de Quitá

palhota

tartaruga a desovar, Ilhéu de Poilão

rapaz a trabalhar no tear, etnia Papel

rapaz mascarado de feiticeiro, etnia Papel

14 Lê e liga.

A cabaceira ou imbondeiro é uma árvore muito importante, não só pela sombra que oferece, como também por tudo o que produz: os seus frutos suculentos, as folhas que servem para cozinhar um esparregado muito nutritivo e as cascas para fazer cordas.

A pesca é uma das principais fontes de riqueza na Guiné-Bissau. As mulheres pescam, em rios, no meio de plantas de mangal, peixe e moluscos, principal fonte de proteína animal da população que vive na zona costeira.

O arroz é o cereal mais produzido e um ingrediente típico e indispensável na alimentação guineense. Os arrozais são também conhecidos por bolanhas.

Nos mercados de rua vende-se de tudo: fruta, carne, peixe, roupas, móveis, bicicletas, etc.

O arquipélago dos Bijagós é constituído por 88 ilhas, classificadas pela UNESCO como reserva da biosfera. Nesta reserva podemos encontrar macacos, hipopótamos, crocodilos, aves pernaltas, tartarugas marinhas e lontras.

Tabanca é o nome que se dá, na Guiné-Bissau, a uma aldeia, povoação com poucos habitantes.

15 Ouve e lê.

Apanharam bons ventos e alguns dias depois chegaram à Guiné–Bissau.

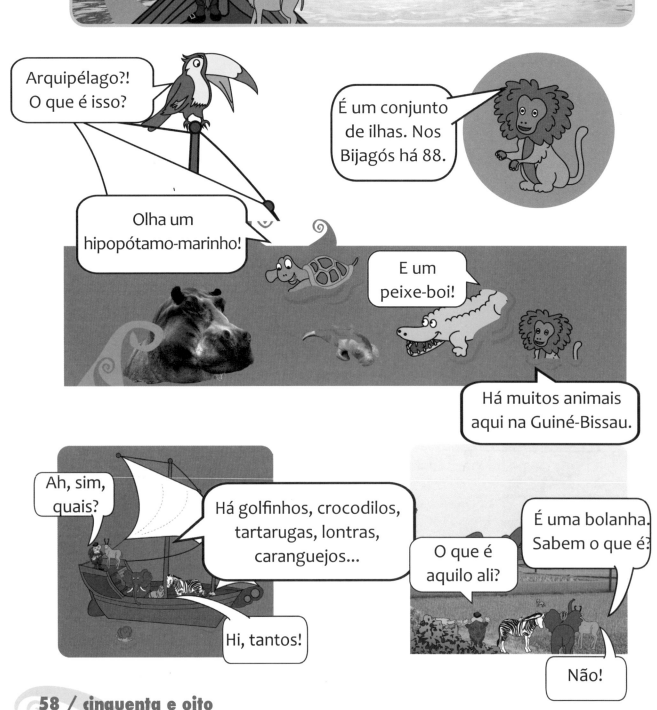

E chegou a hora de partir para uma nova aventura.

A lenda do tambor

Há muito tempo, numa bela aldeia africana, depois de um dia muito quente, chegou uma noite fria, tão fria que os macacos resolveram aquecer-se à volta de uma fogueira.

O céu estava muito escuro, mas cheio de pontos brilhantes e havia um que era tão diferente que chamou a atenção de todos.

– Olhem, parece uma fatia de abóbora! – disse um dos macaquinhos.

– Uma fatia de abóbora?! Então tu não vês que é a lua! – disse outro.

– É verdade, é! É a lua! É a Madrinha Lua. Ela é tão poderosa que faz mexer o mar, crescer o milho e ajuda as galinhas a pôr ovos!

Os macaquinhos ficaram tão impressionados que decidiram chegar até ela.

– Vamos pôr-nos uns em cima dos outros e assim fazemos uma pirâmide até chegar lá acima!

Se bem o pensaram, melhor o fizeram. No alto da pirâmide, o último macaquinho quase que lhe tocava!

– Madrinha Lua, tu que és tão poderosa, faz com que eu chegue a ti.

– Não tenhas medo! Estás tão perto que se esticares bem o braço, tocarás numa das minhas pontas.

Cheio de coragem, o macaquinho deu um salto e pousou naquele mar de brilho.

– Anda daí! Vem passear e descobrir tudo à nossa volta!

E o macaquinho lá foi...

– Para contar melhor aos teus amigos tudo o que viste, vamos fazer um presente para eles.

Apanharam alguns ramos e folhas.

– Vamos lá fazer tudo com muito jeitinho – disse a Madrinha Lua. – Junta as folhas em baixo, agora à volta e os ramos na vertical. Agora põe mais folhas por cima dos ramos e com os fios do meu cabelo ata tudo muito bem. Segura um ramo em cada mão e bate com eles sobre as folhas.

O macaquinho ouviu um som maravilhoso e único. Tão especial que pediu à Lua para o deixar regressar à aldeia para mostrar o belo presente aos seus amigos. Ela atou-o aos seus belos e cintilantes cabelos e deixou-o descer suavemente.

À medida que ia descendo, o macaquinho ia ficando cada vez mais feliz ao ver as palhotas dos pais e dos amigos entre as copas das palmeiras e, nervoso, começou a tocar. O som era tão forte que os macaquinhos de todas as aldeias foram ao seu encontro para ver o instrumento e saber as novidades. Gostaram tanto do presente que todos quiseram fazer um igual.

E assim nasceu o tambor.

Lenda popular (adaptada)

17 Vamos cantar!

É ASSIM A GUINÉ-BISSAU

Terra à vista!

Tantas ilhas, tantos animais,
Tantas comidas, sabores naturais!
Tantas etnias, olha, tantas cores,
Tantas línguas, ai, tantos sabores!

É nas Tabancas que vamos encontrar
Novos amigos que nos dão a provar
Comidas diferentes que é bom experimentar,
De barriguinha cheia vamos ficar!

Este animal não tem escamas nem guelras,
Tem quatro patas e é bem pesado,
Anda na água e anda na terra
Mata a charada, é muito engraçado!

Ora, não é uma lontra nem um caranguejo,
Não é um crocodilo, também não é um golfinho,
E uma tartaruga também não deve ser...
Já sei, é um hipopótamo-marinho!

É assim a Guiné
A Guiné é assim
Esta linda terra
Já é parte de mim!

18 Responde.

Qual é a capital da Guiné-Bissau?

Quem pinta as pestanas para a passagem de modelos?

O que se pode calçar?

Como se chama uma aldeia na Guiné-Bissau?

Ora vamos lá ver.
Quem quer responder?

Eu contei, tu...

Diz 5 peças de roupa.

12 + 20 − 13 = ...

É uma casa pequena onde dorme o cão. É a...

15

a jarra

a mancha

o bacalh

os ingredientes

a farinha

o açúcar

o grama

o bu

o quilo

1kg

100g

o azeite

o fermento

a azeitona

o vinag

o avental

a pimenta

o sal

a frigideir

a colher de pau

o guardanap

a esfregona

o quebra-noze

o gelo

o abre-latas

Unidade 4

1 Ouve e lê.

O bolo de iogurte

Hoje o pai faz anos e o Miguel e a irmã vão fazer-lhe um bolo de aniversário. A avó está lá para ajudar.

Então, meninos, estão preparados?

Eu estou mesmo com vontade de pôr as mãos na massa! Gosto tanto de cozinhar! Acho que quero ser cozinheiro quando for grande!

Boa ideia! Eu adoro comer!

Ora, vamos lá ver, primeiro pomos em cima da mesa tudo o que precisamos.

Deixa-me adivinhar: para fazer bolo de iogurte precisamos de ovos, farinha, iogurte, açúcar e fermento, não é, avó?

Exatamente.

Miguel, abre o frigorífico e tira os ovos e o iogurte.

E tu, Sofia, vai buscar o resto dos ingredientes ao armário.

Posso partir os ovos, avó?

Podes, mas tens de separar a gema da clara. Consegues?

Consigo, consigo! Não sabes que quero ser cozinheiro?

Já tenho a balança. São 125 gramas de farinha e 100 gramas de açúcar, não é?

É, sim. Eu abro já o iogurte.

Mana, passa-me o açúcar para misturar com as gemas.

Muito bem! Agora põe a farinha e o iogurte.

Gosto muito de fazer bolos... mas ainda mais de os comer!

Meninos, ainda falta uma coisa!

Falta o quê?

O que o faz crescer!

Já sei, o fermento!

2 Lê e completa.

Hoje o ___pai___ do Miguel faz anos. Ele, a ___avó___ e a ___imã___ vão fazer-lhe um bolo de ___aniversário___.
O ___Miguel___ gosta muito de cozinhar, mas a Sofia gosta ainda mais de ___avó___.
O bolo é de iogurte e os ___ovos___ são:
___ovos___, ___farinha___, ___iogurte___, ___açúcar___ e ___fermento___.
O Miguel vai buscar os ovos e o iogurte ao ___frigorífico___ e a Sofia vai buscar a farinha e o açúcar ao ___armário___.
A avó vê que _____ um ingrediente, mas a Sofia descobre que é o
_____.

3 Procura os nomes das 12 figuras e pinta-as.

G	Ç	X	A	B	A	R	H	U	A	Z	E	I	T	E
M	L	O	G	I	V	J	I	P	Ç	E	S	G	H	T
T	A	B	U	L	E	I	R	O	G	I	F	E	R	F
V	B	M	A	O	N	E	R	T	J	L	R	A	C	E
X	Z	E	R	B	T	A	C	H	O	T	E	Q	E	V
N	U	I	D	J	A	L	I	Ç	P	E	G	R	F	I
G	T	J	A	O	L	N	H	U	L	L	O	R	V	N
D	E	R	N	U	Q	Z	X	V	P	A	N	E	L	A
B	A	L	A	N	Ç	A	T	T	J	L	A	B	M	G
E	Q	B	P	R	H	M	Z	T	B	I	O	Ç	P	R
E	R	Q	O	N	P	I	M	E	N	T	A	U	L	E
R	T	U	L	Ç	P	E	V	N	M	A	Q	R	U	V
Z	F	R	I	G	I	D	E	I	R	A	B	U	I	L
A	D	F	G	U	R	B	C	N	U	O	L	A	X	C
R	T	B	T	R	E	B	U	Ç	A	D	O	M	O	Ç

4 Aprende e treina com um colega.

ver	poder	fazer	pôr	saber
Eu **vejo**	Eu **posso**	Eu **faço**	Eu **ponho**	Eu **sei**
Tu **vês**	Tu **podes**	Tu **fazes**	Tu **pões**	Tu **sabes**
Ele/Ela **vê**	Ele/Ela **pode**	Ele/Ela **faz**	Ele/Ela **põe**	Ele/Ela **sabe**
Nós **vemos**	Nós **podemos**	Nós **fazemos**	Nós **pomos**	Nós **sabemos**
Vocês **veem**	Vocês **podem**	Vocês **fazem**	Vocês **põem**	Vocês **sabem**
Eles/Elas **veem**	Eles/Elas **podem**	Eles/Elas **fazem**	Eles/Elas **põem**	Eles/Elas **sabem**

Ex.: Podes fechar a porta?
   Ela põe o lixo no balde.

5 Aprende e completa.

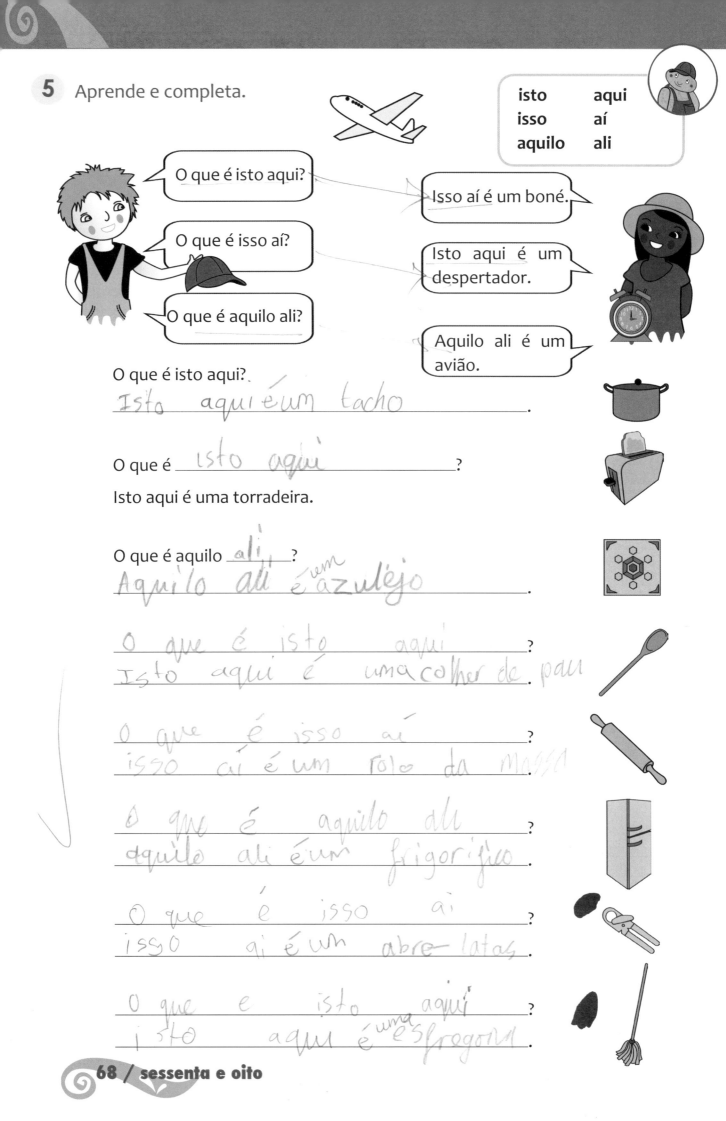

isto   aqui
isso   aí
aquilo ali

O que é isto aqui?

O que é isso aí?

O que é aquilo ali?

Isso aí é um boné.

Isto aqui é um despertador.

Aquilo ali é um avião.

O que é isto aqui?.
Isto aqui é um tacho.

O que é _isto aqui_?
Isto aqui é uma torradeira.

O que é aquilo _ali_?
Aquilo ali é um azulejo.

O que é isto aqui?
Isto aqui é uma colher de pau.

O que é isso aí?
isso aí é um rolo da massa.

O que é aquilo ali?
aquilo ali é um frigorífico.

O que é isso aí?
isso aí é um abre-latas.

O que é isto aqui?
isto aqui é uma esfregona.

data?

6 Escreve.

A minha receita preferida

Agora eu!

Ingredientes
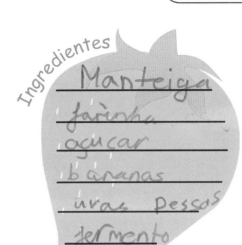

Manteiga
farinha
açúcar
bananas
uvas passas
fermento
ovo

Cola aqui a foto

Preparação

Misturar a manteiga, farinha e fermento
Pôr o ovo na mistura
Bater bem
Amassar as bananas e mistura
com açúcar água
Misturar tudo junto e bater
bem
Meter no fogão para uma um hora por uma
Servir com chá

Comer e

Saborear!!

7 Lê e dramatiza.

O que deseja?

Bom dia!

Para entrada queria pão com azeitonas e para começar uma sopa de feijão.

Depois queria peixe assado com batatas cozidas e legumes.

Queria um sumo de melão. E para sobremesa baba de camelo.

Bom dia. O que deseja?

Muito bem. E a seguir?

E para beber?

Muito bem. É só um minutinho!

EMENTA

Entradas
queijo
pão
azeitonas
chouriço assado
presunto
manteiga

Sopas
sopa de tomate
sopa de legumes
sopa de feijão

Carnes
arroz de pato
bife de vaca
frango assado

Peixes
bacalhau à Braz
arroz de polvo
peixe assado

Acompanhamentos
arroz
batatas fritas/cozidas
legumes cozidos
salada

Sobremesas
baba de camelo
mousse de chocolate
gelatina de banana
pudim de leite
arroz doce

Bebidas
sumo de laranja
sumo de manga
sumo de ananás
sumo de pera
sumo de melancia
sumo de pêssego
limonada
água

8 Lê, completa e ilustra.

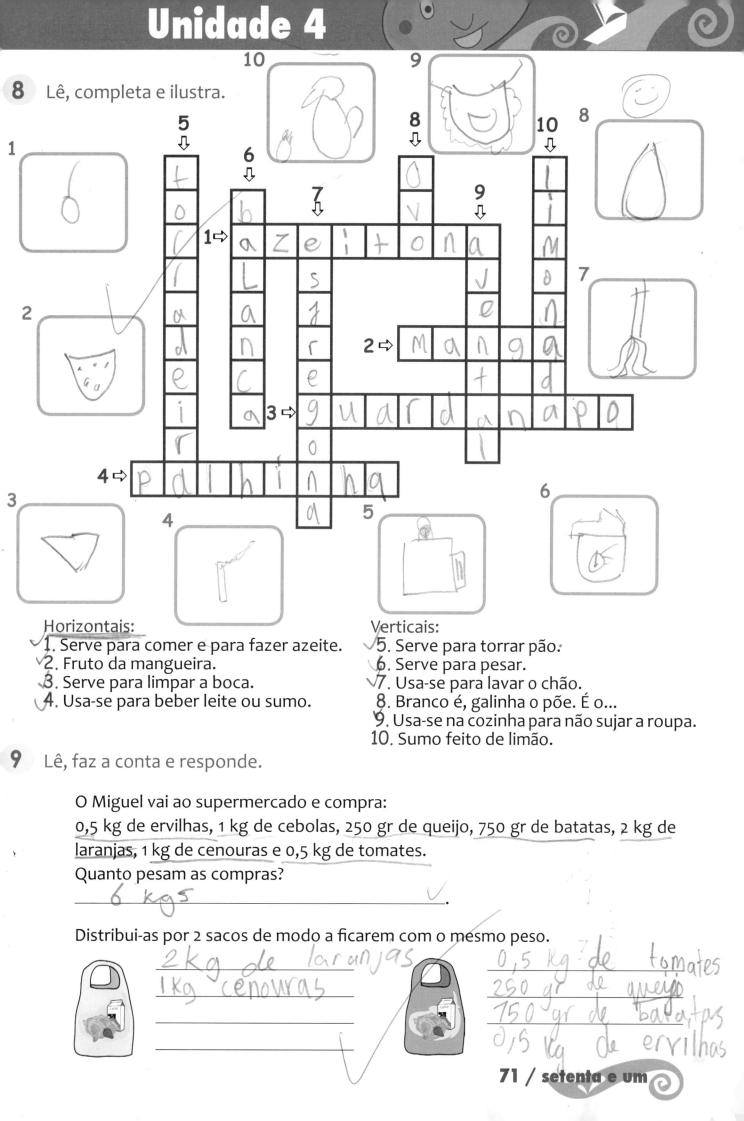

Horizontais:
1. Serve para comer e para fazer azeite.
2. Fruto da mangueira.
3. Serve para limpar a boca.
4. Usa-se para beber leite ou sumo.

Verticais:
5. Serve para torrar pão.
6. Serve para pesar.
7. Usa-se para lavar o chão.
8. Branco é, galinha o põe. É o...
9. Usa-se na cozinha para não sujar a roupa.
10. Sumo feito de limão.

9 Lê, faz a conta e responde.

O Miguel vai ao supermercado e compra:

0,5 kg de ervilhas, 1 kg de cebolas, 250 gr de queijo, 750 gr de batatas, 2 kg de laranjas, 1 kg de cenouras e 0,5 kg de tomates.

Quanto pesam as compras?

_____ 6 kgs _____.

Distribui-as por 2 sacos de modo a ficarem com o mesmo peso.

2kg de laranjas
1kg cenouras

0,5 kg de tomates
250 gr de queijo
750 gr de batatas
0,5 kg de ervilhas

10 Observa, lê e dramatiza.

Onde vais?

Comprar o quê?

Vou ao supermercado.

Vou comprar bananas, farinha e ovos.

11 Ouve e escreve.

12 Lê e observa.

SÃO TOMÉ E PRÍNCIPE

Capital: São Tomé
População: 157 000 habitantes
Área: 1 001 km²
Moeda: dobra
Língua oficial: português

Boca do Inferno

Ismael Sequeira,
artista são-tomense

Pico Cão Grande

café

hibisco

Eduardo Malé,
artista são-tomense

Praia dos Tamarindos

banana-pão

Ilha do Príncipe

pesca tradicional

casa tradicional

moto-táxis

13 Lê e liga.

A linha imaginária do equador atravessa o ilhéu das Rolas, no sul da Ilha de São Tomé.

As tartarugas habitam o planeta há mais de 100 milhões de anos. Das sete espécies de tartarugas marinhas existentes no mundo, cinco delas procuram a região do ilhéu das Rolas, no sul da ilha de São Tomé.

Nas roças podemos observar a produção do cacau ou do café desde a sua sementeira até à secagem. Em 1913, São Tomé e Príncipe era o principal produtor de cacau do mundo, tornando-se conhecido como a "ilha chocolate".

No parque natural Obô a fauna e a flora são riquíssimas, podendo-se observar muitas espécies raras, algumas das quais em vias de extinção.

O tchiloli é um teatro de rua representado nas festas religiosas. O tchiloli ou tragédia Marquês de Mântua, representa a corte medieval europeia. A peça pode durar entre cinco a seis horas.

No interior das ilhas, especialmente nas regiões de altitude entre 200 metros a 1000 metros, podemos observar variadíssimas espécies de flores que crescem espontaneamente devido ao clima chuvoso e às temperaturas mais baixas. As mais famosas são as orquídeas e a rosa de porcelana.

Uma semana mais tarde, chegam a São Tomé e Príncipe, ao Ilhéu das Rolas.

E depois de um belo passeio e de comerem um grande chocolate os animais estão de volta à caravela.

Lenda do Canta Galo

Conta a lenda, que, em tempos passados, São Tomé e Príncipe era o refúgio de todos os galos do mundo. O cocorococó que se ouvia nesse lugar era enorme e ensurdecedor.

Na sua algazarra, os galos esqueciam-se de que não eram os únicos habitantes da ilha.

Apesar de alguns estarem contentes com a alegria barulhenta das aves, outros estavam furiosos e resolveram avisá-los:

– Vocês têm de se mudar para um local mais afastado. Se isso não acontecer num prazo de 24 horas, haverá guerra e o grupo vencedor poderá ficar aqui.

Os galos, tristes, decidiram procurar um novo lugar e fizeram uma reunião para decidir quem seria o chefe da expedição. Escolheram como líder um galo grande e preto e iniciaram a viagem.

Após muito procurarem, encontraram um sítio que parecia ter sido feito para eles e ali se fixaram.

Desde então, nunca mais se ouviram os galos cantar desordenadamente, mas apenas num local determinado e com hora certa.

Os habitantes das ilhas chamaram a esse lugar Canta Galo. Esse local existe, ainda hoje, e tornou-se num distrito com o mesmo nome.

Lenda popular (adaptada)

16 Vamos cantar!

SÃO TOMÉ É LEVE-LEVE

Terra à Vista!

Mas que terra tão bonita
Coberta de palmeiras!
O mar azul turquesa
Está cheiinho de baleias!

A Ilha de São Tomé
Está na linha do Equador
E essa é a razão
De estar tanto calor.

Cá comemos fruta-pão,
Coco, manga e calulú,
Banana assada, frita e seca,
Cacau e caju.

A vida aqui é tão tranquila
Talvez seja deste sol!
São Tomé é "leve-leve",
Príncipe é "mole-mole".

17 Responde.

Que sumo se faz com limão?

Para quem é o bolo de aniversário?

Qual é a capital de São Tomé e Príncipe?

O que é que o macaco gosta de comer?

Isto aqui, isso aí, ...

Diz o nome de cinco coisas da cozinha.

Eu posso, tu...

A chaleira serve para...

Ora vamos lá ver.
Quem quer responder?

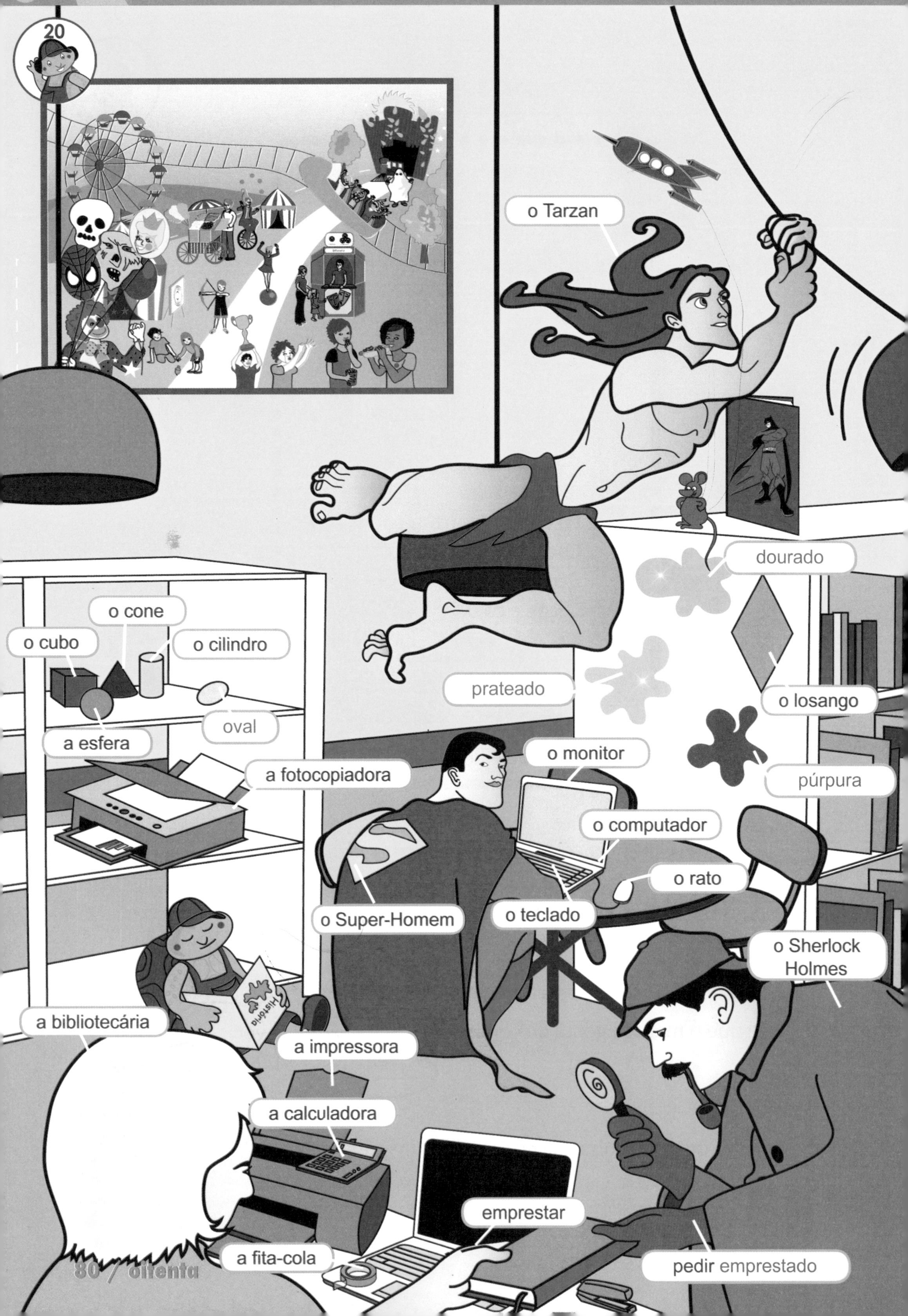
20
o Tarzan
dourado
o losango
prateado
púrpura
o cone
o cubo
o cilindro
a esfera
oval
a fotocopiadora
o monitor
o computador
o rato
o Super-Homem
o teclado
o Sherlock Holmes
a bibliotecária
História
a impressora
a calculadora
emprestar
a fita-cola
pedir emprestado

21

1 Ouve e lê.

Concurso de histórias

Houve um concurso de histórias na escola e chegou, finalmente, o dia da entrega dos prémios.

Todos treinam a leitura das suas histórias.

Era uma vez um menino que vivia numa casa assombrada.

Numa noite muito, muito, muito escura...

Ihhh!

Peço imensa desculpa! Vamos tentar resolver o problema!

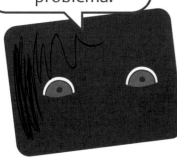

Fora da sala de convívio...

Que susto que eu apanhei!

Eu também tive medo!

Ouvi dizer que precisam da minha ajuda, é verdade?

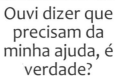

2 Lê e liga.

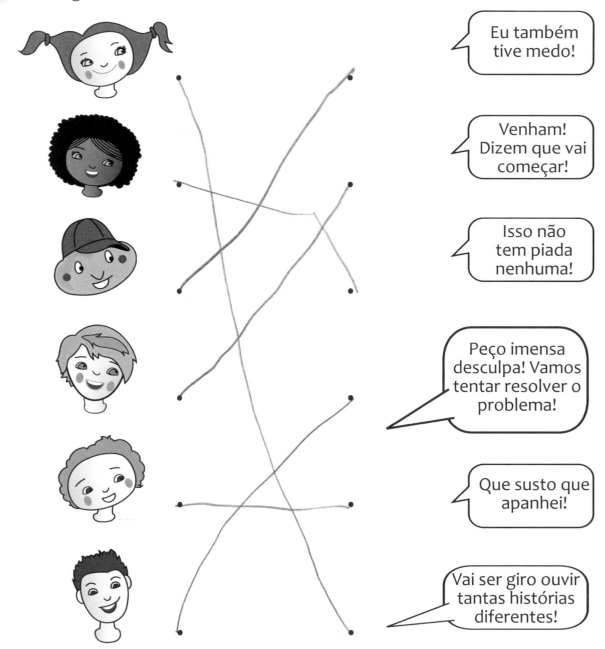

Eu também tive medo!

Venham! Dizem que vai começar!

Isso não tem piada nenhuma!

Peço imensa desculpa! Vamos tentar resolver o problema!

Que susto que apanhei!

Vai ser giro ouvir tantas histórias diferentes!

3 Lê, faz a conta e responde.

$$\begin{array}{r} 21 \\ 10 \\ \hline 31 \end{array}$$

Há 7 super-heróis na biblioteca.
Cada um pede 3 livros emprestados à bibliotecária.
A Timi pede menos 11 livros do que eles todos juntos.

Quantos livros pedem os 8 ao todo?

_____

$$\begin{array}{r} 11 \\ 7 \\ 3 \end{array} \quad \begin{array}{r} 21 \\ -11 \\ \hline 10 \end{array}$$

31

4 Aprende e treina com um colega.

read **ler**	say **dizer**	listen **ouvir**	ask **pedir**	give **dar**
Eu **leio**	Eu **digo**	Eu **ouço**	Eu **peço**	Eu **dou**
Tu **lês**	Tu **dizes**	Tu **ouves**	Tu **pedes**	Tu **dás**
Ele/Ela **lê**	Ele/Ela **diz**	Ele/Ela **ouve**	Ele/Ela **pede**	Ele/Ela **dá**
Nós **lemos**	Nós **dizemos**	Nós **ouvimos**	Nós **pedimos**	Nós **damos**
Vocês **leem**	Vocês **dizem**	Vocês **ouvem**	Vocês **pedem**	Vocês **dão**
Eles/Elas **leem**	Eles/Elas **dizem**	Eles/Elas **ouvem**	Eles/Elas **pedem**	Eles/Elas **dão**

Ex.: Eu ouço um avião.

5 Joga com um colega, peões e um dado.

PARTIDA	**1** Que língua se fala em França?	**2** O que tens vestido?	**3** Vai para o n° sete.	**4** Qual é a capital da Itália?
5 Lança de novo o dado.	**6** Em que países se fala português?	**7** Praia é a capital de...	**8** Quantas ilhas tem S. Tomé e Príncipe?	**9** Fica uma vez sem jogar.
10 Diz o nome de 5 objetos da cozinha.	**11** Vai para o n° três.	**12** Em que dia fazes anos?	**13** Conjuga o verbo "dizer".	**14** Diz os números de 10 a 20.
15 Diz o nome das estações do ano.	**16** Lança de novo o dado.	**17** Diz o nome de 5 cores.	**18** Quantos primos tens?	**19** Conjuga o verbo "ter".
20 Lança de novo o dado.	**21** Diz 5 nacionalidades.	**22** Fica uma vez sem jogar.	**23** O que tens dentro da tua mochila?	**24** A que horas começa a escola?
25 O que comes ao pequeno almoço?	**26** O que veste a Timi?	**27** Conjuga o verbo "ler".	**28** Vai para o n° trinta.	**29** Diz o nome de 3 países africanos.
30 Diz os dias da semana.	**31** $5 \times 5 + 14 =$	**32** Lança o dado de novo.	**33** Qual é a capital de Portugal?	**34** Qual é a moeda da Guiné-Bissau?
35 Fica uma vez sem jogar.	**36** O que rima com Ana?	**37** Qual é a tua disciplina favorita?	**38** Diz o nome de 3 super heróis.	**CHEGADA**

6 Completa.

$$10 + 10 + 10 + 20 + 20 = 70$$

> **10 + 10 + 10 = _trinta_**

$60 - 20 = \underline{40}$

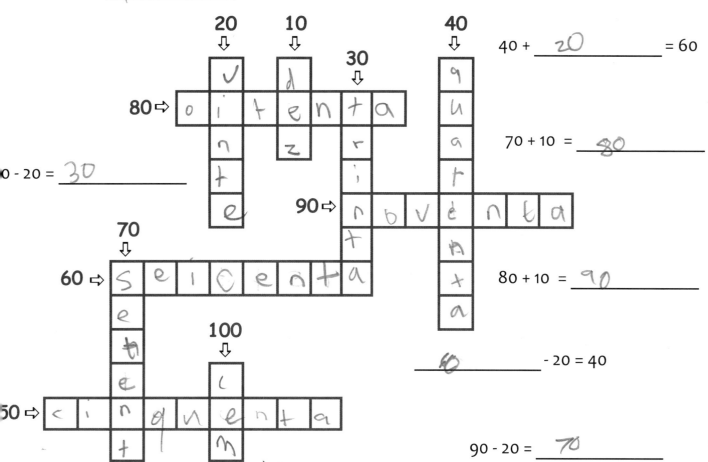

20 ⇩ 10 ⇩

30 ⇩

40 ⇩

$40 + \underline{20} = 60$

80 ⇨ o i t e n t a

$70 + 10 = \underline{80}$

0 - 20 = $\underline{30}$

90 ⇨ n o v é n t a

70 ⇩

60 ⇨ s e i c e n t a

$80 + 10 = \underline{90}$

100 ⇩

$\underline{60} - 20 = 40$

50 ⇨ c i n q u e n t a

$90 - 20 = \underline{70}$

$20 + 20 = \underline{40}$

$70 + 30 = \underline{100}$

$60 = 50 + \underline{10}$

7 Ouve e assinala.

	escrever	ler	ouvir	dizer	pedir	dar	ver	fazer
	X um texto							

9 Escreve.

ei = g
lh = ligue
nh

O meu livro preferido

Título: O coelho Floppy

Autor: _____

Ilustrador: _____

Editora: _____

Escreve um pouco sobre o teu livro:

O Floppy tem uma orelha caída e uma orelha direita. Os amigos fazem troça dele e riam-se dele. Ele vai ao medico para pedir ajudas. O medico disse que os coelhos vêm em todos diferentes tamanhas. Ao fin os amigos tiveram saudades dele.

Gostei muito de:

Gostei muito da amizade dos amigos.
Gostei tambem das imagens do livro.

10 Procura doze palavras, escreve e ilustra.

X	R	H	U	T	B	M	O	L	F	Ç	P	P	R	A	D	Q
E	F	C	O	M	P	U	T	A	D	O	R	T	G	G	V	C
U	O	A	V	N	R	T	J	L	V	Ç	A	Q	F	X	I	P
Z	S	L	D	R	A	I	R	B	R	U	N	Q	X	D	N	I
C	E	C	A	S	D	M	O	N	I	T	O	R	J	F	A	N
U	Q	U	R	T	B	P	A	F	T	G	L	Ç	A	B	G	T
B	N	L	Ç	P	T	R	D	F	C	A	E	S	F	E	R	A
O	E	A	C	V	N	E	R	T	O	I	D	H	J	Ç	E	R
Q	F	D	R	B	U	S	S	D	N	U	L	Ç	P	R	M	C
V	B	O	U	L	E	S	F	R	E	G	O	N	A	V	R	T
H	R	R	G	B	N	O	L	Ç	B	E	D	C	A	Z	R	T
B	U	A	R	Q	F	R	I	G	I	D	E	I	R	A	Q	P
Ç	U	O	N	Ç	Q	A	S	D	N	R	F	G	C	V	U	N
Q	S	C	V	T	Ç	P	Ç	C	I	L	I	N	D	R	O	Q
A	Z	U	L	E	J	O	S	D	M	F	G	U	R	A	C	D

pintar   Impressora   estregon

computado   Calculadora

azul   vinagre

frigideira   cilindro

11 Lê e observa.

ANGOLA

Capital: Luanda

População: 18 498 000 habitantes

Área: 1 246 700 km²

Moeda: kwanza

Língua oficial: português

Baía de Luanda

Fenda de Tundavala

girafas

Miradouro da Lua

gnu

Serra da Leba

Deserto do Namibe

Quedas de água de Kalandula

Pungo-a-Ndondo

pôr-do-sol

macacos

impala

12 Lê e liga.

A palanca negra é um animal muito bonito e um dos símbolos de Angola. A seleção angolana de futebol é chamada pelos seus adeptos de Palancas Negras.

O Pensador de Chokwe é uma das peças de arte mais famosas de Angola e um dos seus símbolos.

O kuduro é um tipo de música e de dança muito popular em Angola. As letras das canções são divertidas e escritas em português e com algumas palavras de outras línguas angolanas como por exemplo o kimbundo.

O povo mumuíla é um grupo de nómadas que usa colares e panos coloridos. Os mumuílas são criadores de gado.

A Welwitschia Mirabilis é uma planta rasteira que cresce durante toda a vida. As folhas podem atingir mais de dois metros de comprimento.
Esta planta só existe no deserto do Namibe em Angola e na Namíbia e pensa-se que possa viver mais de 1000 anos.

O imbondeiro é uma árvore que pode alcançar 25 metros de altura. O seu tronco pode atingir 7 metros de diâmetro e armazenar até 120 000 litros de água.

13 Ouve e lê.

A viagem continuou com alguma agitação, mas daí a dois dias, chegaram a Angola.

Cansados de tanto dançar, os nossos amigos preparam-se para partir.

O Leopardo Nebr

Certo dia, na savana, o leopardo Nebr ficou com muita fome e pôs-se logo a pensar na forma mais fácil de encontrar comida. Pensou, pensou, pensou e resolveu pedir ao seu filhote Shabeel que fosse dizer aos outros animais que ele, a Sua Alteza, o Rei da Floresta, estava muito doente.

O leopardozinho foi a correr transmitir a má notícia.

– O leopardo Nebr, nosso chefe, está a morrer. Por favor, venham visitá-lo!

Pouco a pouco, alguns animais puseram-se a caminho da casa de Nebr.

Quando este percebeu que eles estavam a chegar, deitou-se, fechou os olhos e fingiu estar morto. Os animais ao encontrá-lo disseram:

– O nosso Rei morreu. Que tristeza a nossa!

Shabeel entrou em casa e fechou a porta. Nebr levantou-se de repente e matou todos os animais que lá se encontravam.

Passado algum tempo, chegaram outros animais. Entre eles, vinha a gazela, acompanhada do porco-espinho. A gazela que era muito inteligente e desconfiava da maldade de Nebr chamou os outros e disse-lhes:

– Desculpem lá, mas esta história não me cheira nada bem. Eu acho que o leopardo não está morto e nós vamos ser todos apanhados numa armadilha!

Juntos decidiram procurar um lugar para se esconderem. Só o porco--espinho é que não conseguiu encontrar um esconderijo. A gazela, espreitou para dentro da casa de Nebr e teve uma bela ideia:

– Porco-espinho, vai esconder-te devagarinho naquele buraco que está ali perto do leopardo e assim que conseguires espeta-lhe um dos teus espinhos mais fortes. E, se ele se mexer, esconde-te e nós fazemos o mesmo.

E assim foi. O porco-espinho foi para ao pé de Nebr e espetou-lhe os espinhos devagarinho. Mas nada aconteceu. Será que o leopardo estava mesmo morto? Depois, decidiu picá-lo com mais força. Nesse momento, Nebr não conseguiu aguentar as dores, levantou-se e começou a correr atrás do porco-espinho.

Os outros animais esconderam-se e o leopardo ficou furioso por ter sido apanhado na sua mentira.

A gazela cantarolou do seu esconderijo:

– O leopardo é o Rei da Floresta pela sua força, mas não pela esperteza!

E os outros animais repetiram em coro:

– Devemos a vida à pequena e esperta gazela. A ela devemos a vida!

Lenda popular (adaptada)

15 Vamos cantar!

ANGOLA, A DIFERENÇA É UMA RIQUEZA

Terra à vista!

O símbolo de África é a manga
Foi o que em Angola ouvi dizer
Por ter a forma de um coração
E um sabor quente, forte e doce ter.

O símbolo de Angola é a palanca negra
No mundo inteiro não há animal igual, não
Mas fiquei tão triste ao saber
Que está quase em vias de extinção!

Aqui confirmei que há coisas
Que temos de preservar
Se lutarmos todos juntos
Tudo é mais fácil de alcançar.

O amor, a amizade, a natureza
Não podem extinguir-se assim
A diferença é uma riqueza
Descobrindo os outros, conheço-me a mim.

16 Responde.

Quem trepa pelas paredes?

Que animal faz parte do computador?

O que é que copia sem escrever?

Qual é o super-herói que chega a todo o lado?

Ora vamos lá ver.
Quem quer responder?

35 + 47 = ...

A moeda de Angola é o ...

Diz os dias da semana.

Eu oiço, tu...

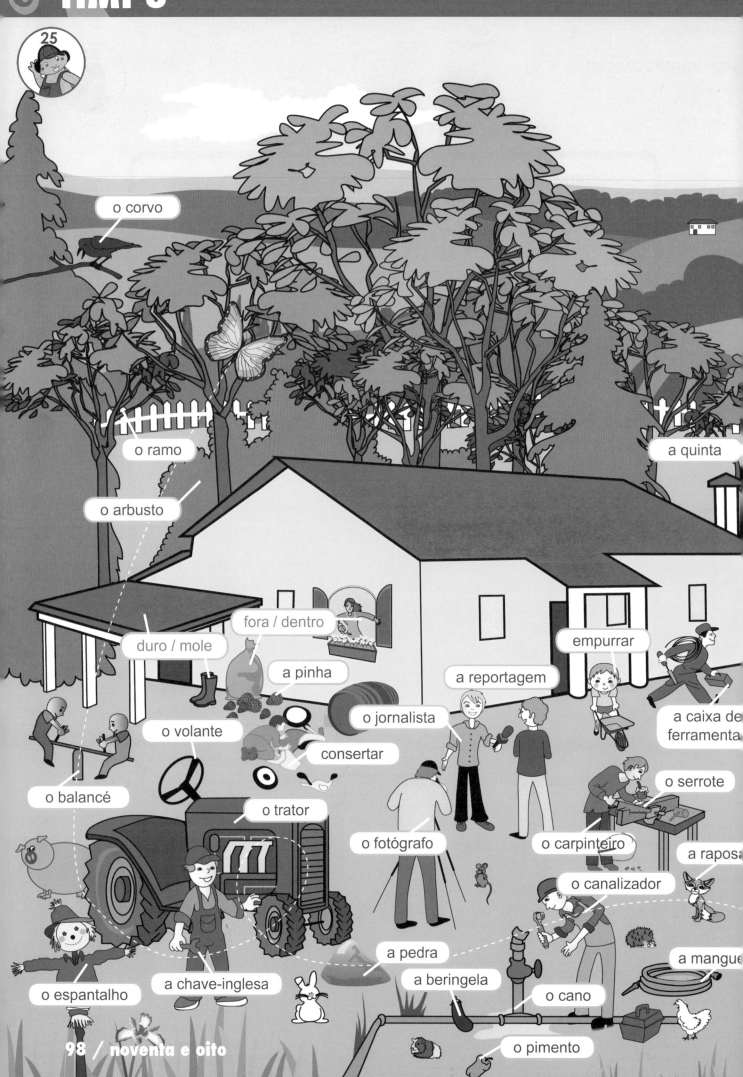

25

o corvo

o ramo

a quinta

o arbusto

fora / dentro

empurrar

duro / mole

a pinha

a reportagem

a caixa de ferramenta

o volante

o jornalista

consertar

o serrote

o balancé

o trator

o fotógrafo

o carpinteiro

a raposa

o canalizador

a chave-inglesa

a pedra

a mangue

o espantalho

a beringela

o cano

o pimento

a colmeia

a aldeia

o prado

o estábulo

perto / longe

o agricultor

conduzir

o pica-pau

o escadote

a lebre

o toldo

o corrimão

a banca

a pá de pedreiro

Fofinho

escada

os vegetais

a couve

o telemóvel

o pedreiro

o tijolo

a raiz

telefonar

o arquiteto

rrinho
mão

puxar

o pintor

o galinheiro

100 - 200 - 300
400 - 500 - 600
700 - 800 - 900
1000

fofinho

o pintainho

o ninho

a castanha

a avelã

a bolota

o veterinário

chocar

a palha

1 Ouve e lê.

O filho da raposa

Na quinta do Sr. Joaquim, tio do Miguel, aconteceu algo extraordinário. A jornalista Marta e o fotógrafo Nicolau foram até lá fazer uma reportagem.

Ficou mesmo bonito e fofinho! Depois...

Ai nem imaginam... Contas tu, pica-pau, que contas melhor?

Eu?? Tu é que trazes sempre as novidades à quinta?!

Trago? Eu?

Vá lá! Conta depressa!!

Então vou contar.

Então não foi que quando voltámos com as últimas folhas encontrámos a raposa já deitada no ninho, em cima do ovo?

Pois! Alguém teve de o chocar!

E foi assim que quando nasceu, o pintainho nunca mais largou a sua mãe raposa!

Uma família feliz, sem dúvida!

2 Lê e responde.

Onde é que aconteceu algo extraordinário?

Na quinta do Sr. Joaquim, tio de Miguel.

Quem foi até lá fazer uma reportagem?

Quem foi fazer a reportagem foi a jornalista Marta

O que é que a galinha deixa ficar pelo caminho?

A galinha deixa ficar pelo caminho os ovos dela

Onde é que o corvo e o pica-pau fizeram o ninho?

O corvo e o pica-pau fazem o ninho no arvores.

O que é que eles usaram para fazer o ninho?

O corvo e o pica-pau usaram o bico para fazer o ninho.

Quem é que chocou o ovo?

A galinha chocou o ovo.

3 Aprende e completa.

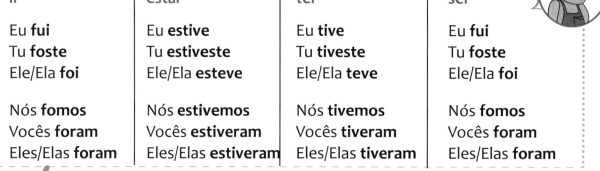

ir	estar	ter	ser
Eu **fui**	Eu **estive**	Eu **tive**	Eu **fui**
Tu **foste**	Tu **estiveste**	Tu **tiveste**	Tu **foste**
Ele/Ela **foi**	Ele/Ela **esteve**	Ele/Ela **teve**	Ele/Ela **foi**
Nós **fomos**	Nós **estivemos**	Nós **tivemos**	Nós **fomos**
Vocês **foram**	Vocês **estiveram**	Vocês **tiveram**	Vocês **foram**
Eles/Elas **foram**	Eles/Elas **estiveram**	Eles/Elas **tiveram**	Eles/Elas **foram**

Ontem...

Eu _fui_ (ir) à praia.

Nós _estivemos_ (estar) a ler um livro.

Tu _tiveste_ (ter) frio à noite?

Eles _foram_ (ser) rápidos.

Ele _foi_ (ir) comprar pão.

Eu _estive_ (estar) doente.

Vocês _tiveram_ (ter) medo?

Tu _foste_ (ser) o último a chegar à escola.

Nós _fomos_ (ir) a uma quinta.

Vocês _estiveram_ (estar) na praia?

Eu _tive_ (ter) uma aula de música.

Nós _fomos_ (ser) os primeiros a acabar o exercício.

Ela _foi_ (ir) à biblioteca.

Eu _estive_ (estar) a dormir toda a tarde.

Ele _teve_ (ter) dores de barriga.

Elas não _foram_ (ser) rápidas.

4 Aprende e treina com um colega.

vir	cair	sair
Eu **venho**	Eu **caio**	Eu **saio**
Tu **vens**	Tu **cais**	Tu **sais**
Ele/Ela **vem**	Ele/Ela **cai**	Ele/Ela **sai**
Nós **vimos**	Nós **caímos**	Nós **saímos**
Vocês **vêm**	Vocês **caem**	Vocês **saem**
Eles/Elas **vêm**	Eles/Elas **caem**	Eles/Elas **saem**
subir	trazer	dormir
Eu **subo**	Eu **trago**	Eu **durmo**
Tu **sobes**	Tu **trazes**	Tu **dormes**
Ele/Ela **sobe**	Ele/Ela **traz**	Ele/Ela **dorme**
Nós **subimos**	Nós **trazemos**	Nós **dormimos**
Vocês **sobem**	Vocês **trazem**	Vocês **dormem**
Eles/Elas **sobem**	Eles/Elas **trazem**	Eles/Elas **dormem**

Ex.: A abelha sai da colmeia.

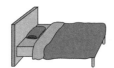

5 Liga os contrários.

cheio	comprido
igual	limpo
sujo	quente
fechado	feliz
fácil	seco
frio	difícil
macio	largo
molhado	mole
triste	aberto
feio	bonito
magro	áspero
estreito	gordo
curto	vazio
claro	diferente
duro	salgado
doce	escuro

6 Descobre os nomes das 12 figuras e pinta-as.

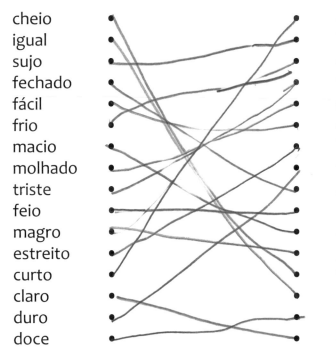

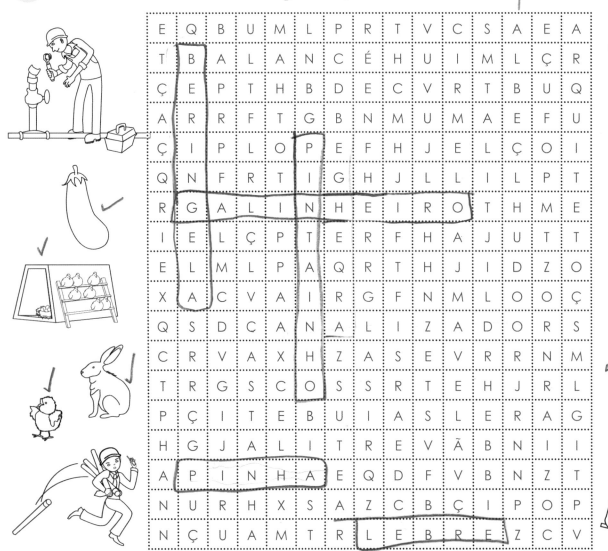

7 Observa, lê e completa.

Profissão	O que faz?	Profissão	O que faz?
Cozinheiro	10 cozinha o jantar	pedreiro	20 faz uma casa
veterinário	1 dá uma injeção	jornalista	3 faz uma reportagem
mecânico	6 arranja o trator	professor	12 ensina
condoctor	7 conduz um autocarro	bombeiro	11 apaga o fogo
cabeleireiro	9 corta o cabelo	enfermeira	14 põe um penso
medico	2 trata um doente	arquiteto	4 desenha uma casa
canalizador	13 repara um cano	carteiro	8 entrega as cartas
fotógrafo	15 tira uma fotografia	agricultor	5 trabalha no campo
jardineiro	16 rega as flores	pintor	17 pinta um quadro
piloto	18 pilota um avião	denista	19 trata os dentes

O veterinário dá uma injeção.

8 Pinta e escreve.

Quando for grande, quero ser...

O ginástica

Onde?

Porquê?

O dia a dia?

9 Descobre as palavras e escreve-as.

_____

_____

_____

_____

10 Ouve e completa.

Os pintainhos	caem na palha.
O espantalho	
O veterinário	
Os cavalos	
O vendedor	
O pintor	
O fotógrafo	
Os corvos	
As abelhas	
O comprador	
A galinha	
A lebre	

11 Lê e completa.

Essa meloa é doce?

Sim, esta meloa é doce.

Este prado é do sr. Joaquim?

Não, esse prado não é do sr. Joaquim.

Aquela aldeia é grande?

Sim, aquela aldeia é grande.

Este trator é azul?

Sim, _____ trator é azul.

_____ pinha é mole?

Não, esta _____ .

Aqueles pintainhos vão para o galinheiro?

_____ .

_____ ?
_____ .

_____ ?
_____ .

_____ ?
_____ .

_____ ?
_____ .

_____ ?
_____ .

12 Joga com um colega.

É um animal, tem quatro patas, uma cauda comprida, é castanho e rápida.

Já sei! É o nº 15, é uma raposa.

13 Lê e observa.

BRASIL

Capital: Brasília
População: 190 755 799 habitantes
Área: 8 514 876 599 km²
Moeda: real
Língua oficial: português

| baiana | papagaio | brigadeiro | Mangue Seco |

| Corcovado | orelhão | Rio de Janeiro | bondinho |

| Niterói | Salvador da Bahia | urubú | mercado de Ipanema |

14 Lê e liga.

O rio Amazonas é um rio que atravessa o norte da América do Sul, no centro da floresta amazónica. É o maior rio do planeta Terra.

A capoeira é uma arte marcial desenvolvida no Brasil por descendentes de escravos africanos. É caracterizada por golpes e movimentos ágeis e complexos acompanhados por música.

O Olodum é um conjunto organizado de pessoas que, no Carnaval da cidade de Salvador da Bahia, sai à rua usando trajes, tocando ritmos e cantando canções relacionados com aspetos das culturas africanas.

O Parque Nacional dos Lençóis do Maranhão é um paraíso ecológico com 155 mil hectares de dunas, rios, lagoas e mangues. As suas paisagens são deslumbrantes com imensidões de areias que fazem o lugar parecer um deserto.

Adriana Partimpim é o segundo álbum idealizado para crianças pela cantora e compositora Adriana Calcanhotto.

O Carnaval do Brasil celebra-se em fevereiro e é a maior festa popular do país. Os seus preparativos começam muitos meses antes.

15 Ouve e lê.

Depois de uma viagem difícil, com mar agitado e tempestades, chegaram finalmente ao Brasil, à cidade do Rio de Janeiro.

Olha o Corcovado!

O Rio de Janeiro é mesmo uma cidade maravilhosa!

Uau! Que bonito!

E estas praias são fantásticas!

Porque é que há tanta gente na rua?

É Carnaval! No Carnaval as Escolas de Samba desfilam no sambódromo para todo o mundo!

Eu adoro sambar!

Eu também!

Já desfilaste alguma vez numa Escola de Samba?

Não, mas adorava! É um sonho que tenho há muitos anos!

Então porque é que não participamos?

Claro, já que temos a sorte de estar aqui!

Refrescados com uns belos mergulhos no mar, chegou a hora do adeus.

A Lenda dos rios Xingu e Amazonas

Contam os índios da Amazónia que antes de existirem os rios Xingu e Amazonas tudo era seco naquela região do Brasil.

Cinaã morava mesmo no meio do mato com o seu marido e os seus três filhos e não tinha água nem rio por perto.

Juriti, que era a única que tinha água nas proximidades, guardava-a dentro de três tambores.

Um dia, os filhos de Cinaã estavam com sede e foram pedir-lhe algo para beber, mas esta recusou e disse-lhes:

– O vosso pai é Pajé. Ele é muito poderoso. Porque é que não vos dá água?

Os filhos de Cinaã voltaram para casa a chorar e quando a mãe lhes perguntou a razão eles contaram o que tinha acontecido.

Cinaã pediu-lhes para não voltarem lá porque era perigoso. Tinha ouvido que havia peixes enormes dentro dos tambores e estes podiam fazer mal aos meninos.

Mas, os pequenos, como eram muito curiosos, foram e partiram os tambores. Quando a água saiu, Juriti ficou furiosa. As crianças fugiram para muito longe, mas o peixe grande que estava lá dentro engoliu Rubiatá, o irmão mais pequeno, que ficou com as pernas de fora da boca.

Os outros dois irmãos começaram a fugir do peixe e, atrás deles, ia correndo tanta água que se formaram rios e cachoeiras pelo mato fora. O peixe grande continuava a persegui-los levando mais água, formando o rio Xingu. Os meninos continuaram a fugir até chegar ao Amazonas. Lá, os irmãos conseguiram enganar o peixe grande e tirar-lhe Rubiatá da boca. Fizeram-lhe respiração boca a boca e, para grande felicidade de todos, Rubiatá voltou a respirar.

Os três juntos sopraram a água com tanta, mas com tanta força que o rio Amazonas ficou enorme, o maior rio do planeta!

Voltaram para casa e contaram à mãe o que tinham feito.

A mãe repreendeu-os um pouco, mas todos ficaram felizes por nunca mais lhes faltar água para beber.

Lenda popular (adaptada)

17 Vamos cantar!

BRASIL É TERRA DE AMOR

Terra à vista!

Tem bossa-nova, tem, / Tem capoeira, tem,
Balangandã, tem, / Havaiana, tem.

Brasil, terra de futebol,
Do Corcovado e Cristo Redentor,
É terra de cachoeira e sol,
Carnaval e do Amor.
País do feijão com arroz,
Da feijoada à brasileira,
Da água de coco e da picanha,
Bossa-nova e capoeira.

Em Portugal comemos doze passas
P'ra ter sorte no ano que vai começar;
No Brasil vestimo-nos de branco
E sete ondas temos de saltar.

Oferecemos rosas a Iemanjá,
Brancas, como a roupa que usamos
E pedimos que tudo corra pelo melhor
A nós e a todos os que amamos.

Tem farofa, tem, / Tem feijão, tem,
Jabuticaba, tem, / Tem pitanga, tem.

As festas começam no Natal,
Com calor é mais fácil celebrar
E quando chega o Carnaval
Só queremos é sambar!

Tem bossa-nova, tem, / Tem capoeira, tem,
Balangandã, tem, / Tem sabiá, tem.
Tem havaiana, tem, / Tem pitanga, tem,
Jabuticaba, tem, / Tem feijão, tem.

18 Responde.

Quem come e dorme todo o dia?

Qual é a dança típica do Brasil?

Quem vive no estábulo?

Como se chama um conjunto de casas?

Ora vamos lá ver.
Quem quer responder?

As vacas comem...

O pintor pinta quadros e...

As abelhas vivem na...

Eu trago, tu...

entre

à volta de

fazer abdominais

a tabela

o basquetebol

gelado

através de

o cartão

no meio de

patinar

a patinagem

o árbitro

fazer o pino

o espaldar

fazer a espargata

a rede

o voleibol

os halteres

1 Ouve e lê.

O torneio de basquetebol

Todos os anos há olimpíadas desportivas na escola, mas este ano houve um torneio de basquetebol. Hoje é a final entre os Tigres Saltadores e os Leopardos Voadores. Os alunos estão muito nervosos.

O jogo está quase a começar e os jogadores entram em campo. O árbitro deita uma moeda ao ar.

Vinte minutos depois...

No intervalo, todos aproveitam para beber água e falar com a treinadora.

O árbitro apita e o jogo recomeça. Mas os Tigres regressam cheios de energia e dão a volta ao resultado. No último minuto está 40 – 40.

2 Lê e assinala as respostas corretas.

Na escola este ano houve um torneio de

- ( ) futebol.
- ( ) voleibol.
- (✓) basquetebol.

A treinadora é

- ( ) a Sofia.
- (✓) a Timi.
- ( ) a Celeste.

O árbitro deita

- ( ) uma moeda ao chão.
- ( ) uma moeda ao ar.
- (✓) uma moeda ao cesto.

Depois do primeiro cesto, o Miguel

- (✓) dá uma cambalhota.
- ( ) faz o pino.
- ( ) faz a espargata.

No intervalo todos aproveitam para

- ( ) falar com a treinadora.
- ( ) dormir.
- (✓) beber água.

O árbitro apita e o jogo

- (✓) acaba.
- ( ) recomeça.
- ( ) não recomeça.

Os Tigres Saltadores

- (✓) dão a volta ao resultado.
- ( ) regressam cheios de energia.
- ( ) estão muito cansados.

3 Lê e completa.

há
houve

Ex: Hoje há um jogo na escola e ontem houve uma festa.

Ontem ___houve___ uma visita de um piloto e hoje ___há___ a de um bombeiro.

Hoje para o almoço ___há___ peixe com legumes e ontem ___houve___ massa com salsichas.

Hoje ___há___ um filme muito bom na televisão e ontem ___houve___ teatro.

Ontem ___houve___ vento mas hoje não ___há___.

4 Aprende e completa.

Data?

dar	poder	querer	ver	pôr
Eu **dei**	Eu **pude**	Eu **quis**	Eu **vi**	Eu **pus**
Tu **deste**	Tu **pudeste**	Tu **quiseste**	Tu **viste**	Tu **puseste**
Ele/Ela **deu**	Ele/Ela **pode**	Ele/Ela **quis**	Ele/Ela **viu**	Ele/Ela **pôs**
Nós **demos**	Nós **pudemos**	Nós **quisemos**	Nós **vimos**	Nós **pusemos**
Vocês **deram**	Vocês **puderam**	Vocês **quiseram**	Vocês **viram**	Vocês **puseram**
Eles/Elas **deram**	Eles/Elas **puderam**	Eles/Elas **quiseram**	Eles/Elas **viram**	Eles/Elas **puseram**

Ontem...

Eu (dar) _____dei_____ uma cambalhota.
Nós (poder) _____pudemos_____ ir ao cinema.
Tu (querer) _____quiseste_____ comprar um gelado.
Eles (ver) _____viram_____ um pássaro gigante.
Eu (pôr) _____pus_____ a mesa ao jantar.
Ele (dar) _____deu_____ uma festa.
Eu (poder) _____pude_____ tomar banho na piscina.
Vocês (querer) _____quiseram_____ ir ao café.
Tu (ver) _____viste_____ o treinador.
Nós (pôr) _____pusemos_____ as bicicletas na garagem.
Os amigos (dar) _____deram_____ um presente à Timi.
Vocês (poder) _____puderam_____ apagar o quadro?
Eu (querer) _____quis_____ ir ao supermercado.
Nós (ver) _____vimos_____ um jogo de basebol.
Eles (pôr) _____puseram_____ os livros na mochila.
Ela (dar) _____deu_____ o capacete ao irmão.
Tu (poder) _____pudeste_____ ir à farmácia?
Ele (querer) _____quis_____ fazer escalada.
Elas (ver) _____viram_____ patinagem no gelo.
Tu (pôr) _____puseste_____ o boné na cabeça.

Excelente!

5 Lê e dramatiza.

O que viste ontem na rua?

Na rua vi...

6 Lê e completa.

Hoje vou treinar. Vou vestir o meu _____equipamento_____ (_fato_) e calçar os meus patins para fazer ___patinagem___ .

O meu irmão joga futebol. É o ___guarda - redes___ e por isso fica à ___baliza___ .

A minha irmã prefere jogar ___ténis de mesa___ . Tem uma ___raquete___ verde.

A minha prima faz ___esqui___ na escola.

Gostamos muito de fazer ___esquiar___ nas montanhas cheias de neve.

7 Descobre o que está errado.

> Mas que desportos são estes???

3 Escreve e ilustra.

O meu desporto preferido

equipamento

lugar

equipa

recordes

regras

campeões

Bom trabalho!

O meu desporto preferido é ténis de mesa. Eu adoro ténis. O equipamento é uma saia, uma t-shirt, umas meias e sapatilhas. É preciso uma raquete de ténis e uma bola. O equipamento usado é uma raquete, uma bola e uma mesa de ténis. As regras são bater a bola por cima de rede, a bola pode só bater uma vez na mesa e não pode saltar fora de mesa.

9 Ouve com atenção e responde.

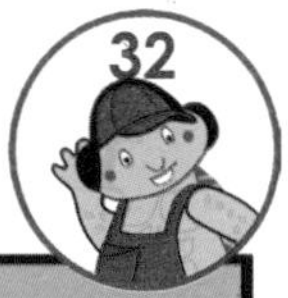

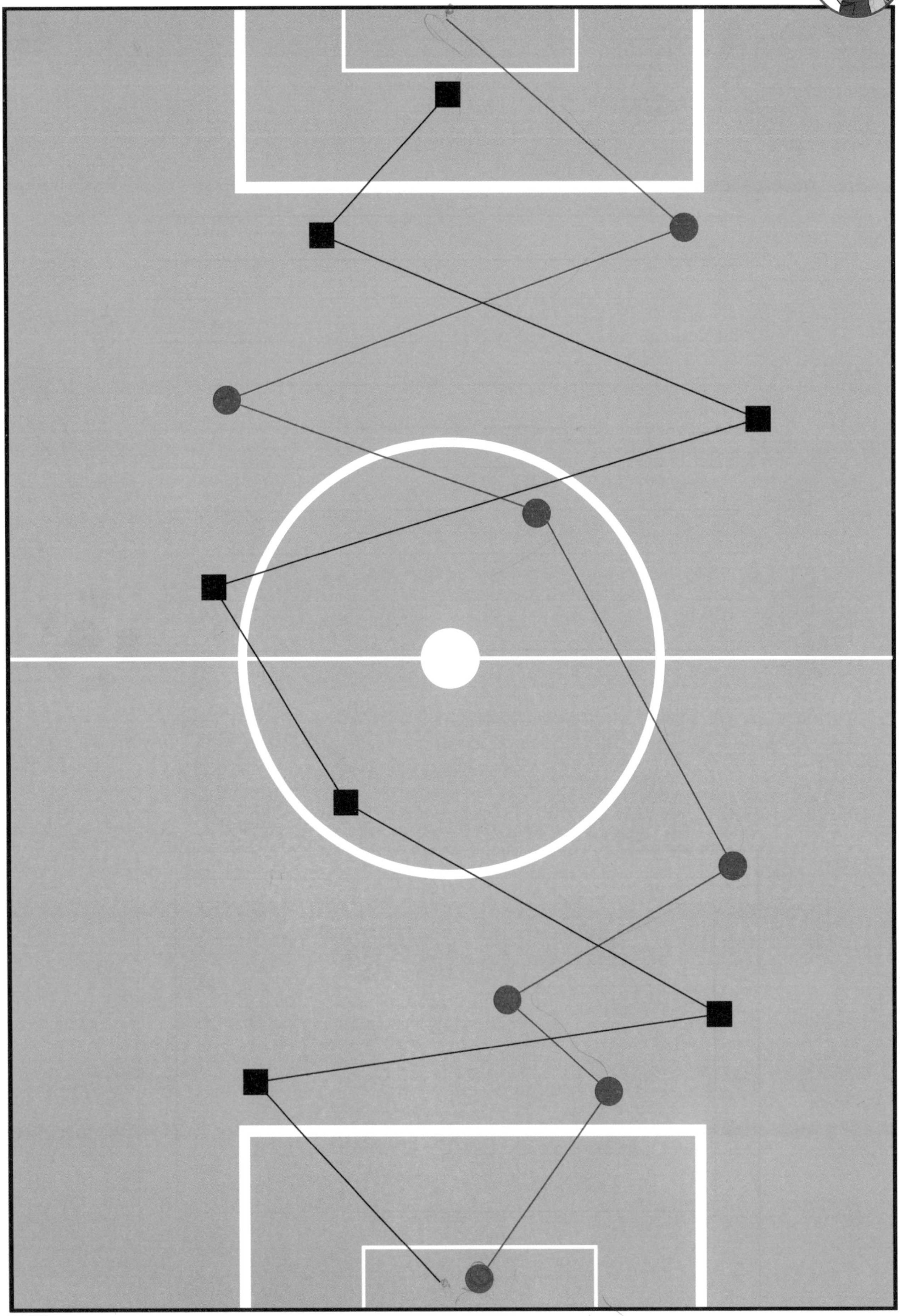

10 Risca uma palavra e escreve uma frase em que apareçam as outras duas.

o pino.
~~o capacete~~
o irmão

Eu vi o meu irmão fazer o pino no jardim.

o espantalho
a palha
o pica-pau

a gaiola
~~o dromedário~~
a água

O meu canário bebe água na gaiola.

os brincos
~~o modelo~~
a Timi

O Timi brinca com os brincos.

a fita-cola
~~a impressora~~
o papel

Eu pus fita-cola no papel.

o tacho
~~o sal~~
a avó

A avó pus a sopa no tacho para cozer.

11 Lê , faz a conta e responde.

Um jogo de futebol tem duas partes de 45 minutos. O intervalo dura 15 minutos. Ontem houve um jogo na escola, mas houve um prolongamento de 20 minutos.

Quanto tempo durou o jogo?

80

07/05/15

12 Ouve com atenção e assinala.

33

1 Ontem, foi um dia especial para...

a Celeste ☑   a Mariana ◯

o Miguel ◯   o Lucas ☑

2 Houve uma prova de... na... da...

natação ☑   piscina ☑   cidade ◯

equitação ◯   lago ◯   escola ☑

3 A Celeste e o Lucas ficaram em...

1º ☑   2º ◯

2º ◯   3º ☑

4 Depois da prova foram ao... com...

parque ☑   amigos ☑

jardim ◯   primos ◯

5 A Celeste...

trepou à árvore ◯

saltou à corda ☑

6 A Sofia... com...

jogou futebol ◯   a Timi ◯

jogou às escondidas ☑   o Miguel ☑

7 O Lucas... com a...

jogou à macaca ☑   a Sofia ◯

jogou voleibol ◯   a Bruna ☑

8 A Timi correu atrás de...

um elefante ◯

uma borboleta ☑

9 Depois voltaram...

tristes ◯

felizes ☑

13 Forma números e escreve-os.

3 9 4 : 943, 493 , 934 .
Ex.: Novecentos e quarenta e três.

Quartocentos e noventa e três .
Novecentos e trinta e quatro .

2 7 1 : 712 , 217 , 172 .
Setecentos e doze .
Docentos e dezassete .
Cento e setenta e dois .

5 8 6 : 685 , 586 , 856 .
Seiscentos e oitenta e cinco .
Quinhentos e oitenta e seis .
Oitocentos e cinquenta e seis .

126 / cento e vinte e seis

14 Joga com um colega. Usa peões e um dado.

entre	em cima de
através de	debaixo de
no meio de	dentro de
à frente de	ao lado de
à volta de	atrás de
no	na

15 Lê e observa.

MOÇAMBIQUE

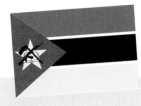

Capital: Maputo
População: 22 948 858 habitantes
Área: 801 590 km²
Moeda: metical
Língua oficial: português

mercado do Pau, Maputo

Maputo

imbondeiros

Ntaluma, escultor Maconde

pesca artesanal

anémona

elefantes

Bazaruto

cabana

brinquedos

leões

boneca tradicional

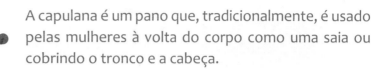

16 Lê e liga.

A capulana é um pano que, tradicionalmente, é usado pelas mulheres à volta do corpo como uma saia ou cobrindo o tronco e a cabeça.

O batique é uma técnica artesanal de tingimento em tecido, usada para fazer quadros, lenços, etc.

O Parque Nacional da Gorongosa é habitado por uma impressionante diversidade de animais e plantas – alguns dos quais não se encontram em mais lado nenhum no mundo.

Os macuas são um povo agrícola originário de Moçambique. Gostam muito de sorrir, dando muitas vezes sonoras e prolongadas gargalhadas.

A timbila é um instrumento musical de percussão tradicional do povo chope de Moçambique.
A sua construção é uma arte transmitida de pais para filhos.

A Ilha de Moçambique é uma cidade que fica na província de Nampula, no norte de Moçambique. Esta deu o nome ao país e foi a sua primeira capital. Foi considerada pela UNESCO, em 1991, Património Mundial da Humanidade devido à sua história e arquitetura.

34

17 Ouve e lê.

Os nossos amigos partem de novo e, depois de passarem o Cabo da Boa Esperança, chegam a Moçambique.

Chegam à praia e veem ao longe alguém a acenar.

Quando se aproximam...

Entram todos num jipe e partem para o Parque da Gorongosa.

De volta à praia, encontram um grupo de pescadores.

Com a memória cheia de grandes emoções, chega de novo a hora de partir.

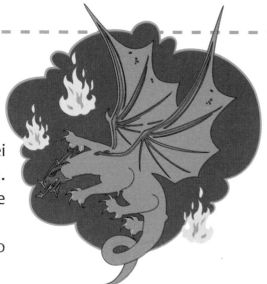

Lenda de S. Jorge

Era uma vez um país governado por um rei que vivia feliz com a mulher e a sua linda filha.

Também os súbditos do rei viviam felizes e tinham animais e terras para cultivar.

Os dias corriam felizes no pequeno reino até que um dia apareceu um dragão.

O dragão enfiou o pescoço nas muralhas, quando os súbditos do rei o viram, abandonaram as ruas tropeçando uns nos outros, fugindo para as suas casas.

O rei foi perguntar ao dragão o que queria.

– Eu podia comer alguns dos teus súbditos ao pequeno-almoço e deixar outros para o jantar ou deitar fogo à tua cidade – disse o dragão.

O rei, bondoso, respondeu:

– Se tu poupares as nossas vidas, não te faltará comida.

O dragão aceitou a proposta e pediu todos os dias quatro vacas, seis ovelhas e duas galinhas para comer.

A partir daí, toda a gente passava o dia fechada em casa, ninguém se atrevia a sair para trabalhar nos campos. E, todos os dias, os pastores entregavam o pedido ao dragão.

Entretanto, os galinheiros, os estábulos e os currais ficaram vazios.

O rei pensou, então, que podia alimentar o dragão com sementes e legumes.

O dragão, ao ver os legumes, reagiu muito mal e exigiu que, se não havia animais, então queria uma rapariga, de preferência a princesa.

Nenhuma família estava disposta a entregar uma das suas filhas ao dragão.

Quando ele se apresentou à porta da cidade, a princesa apareceu vestida de branco e correu para se entregar.

O rei e a rainha começaram a chorar e, de repente, ouviu-se um galope de um cavalo vindo das nuvens. A cidade inteira olhou para o céu e viu um cavaleiro de armadura a galopar para eles num belo cavalo branco.

– É São Jorge! – gritaram todos.

O dragão ficou furioso. Não gostou de ver o cavaleiro e, abrindo a sua grande boca, lançou um jato de fogo aos pés de São Jorge. Este foi mais rápido, lançou a sua lança contra o terrível dragão e matou-o.

A partir daquele dia, graças a São Jorge, todos voltaram a ser felizes.

Lenda popular (adaptada)

19 Vamos cantar!

KANIMAMBO É A PALAVRA

Terra à vista!

Vamos fazer um safari
No Parque da Gorongosa,
Que experiência fantástica,
Que ideia maravilhosa!

Ali está uma girafa,
Que animal tão elegante!
E ali podemos ver
Um enorme elefante.

Aventura como esta
É difícil descrever,
Kanimambo é a palavra
P'ra melhor agradecer!

Olha ali um leopardo,
É tão rápido a correr,
Tem a cauda tão comprida
P'rò equilíbrio manter.

O leão está a dormir,
Passa o dia a repousar,
Está a ganhar energia
Para depois ir caçar.

20 Responde.

Quem é a treinadora dos Leopardos Voadores?
Qual é o instrumento de música típico de Moçambique?
Qual é o desporto em que se usam duas espadas?
Como se chama o jogador que joga à baliza?

Ora vamos lá ver.
Quem quer responder?

Diz o nome de 3 desportos com bola.
Para jogar voleibol precisamos de uma bola e de uma...
O árbitro usa um...
Eu dei, tu...

36

a gaivota

a onda

o peixe-lua

a beira-mar

o creme protetor

a boia

a toalha de praia

o calendário

a espreguiçadeira

o vidro

a garrafa

janeiro	fevereiro	março
abril	maio	junho
julho	agosto	setembro
outubro	novembro	dezembro

o plástico

a concha

Calendário

o búzio

a trovoada

Bumm!

o trovão

a tempestade

o nevoeiro

o relâmpago

a palmeira

o tubo de respiração

a manta

os óculos de mergulho

a rocha

a alforreca

o mergulhador

a alga

a maré-vazia /
a maré-cheia

a travessa

a madeira

o colchão

o cavalo-marinho

a estrela-do-mar

a geleira

37

1 Ouve e lê.

Uma ida à praia

Faz muito calor e os meninos estão na praia a jogar voleibol.

Todos compraram e comeram o seu gelado.

Entretanto, passa pelos meninos um mergulhador com óculos de mergulho e um tubo de respiração.

Os meninos voltam para a beira-mar e brincam na areia molhada.

2 Escreve as perguntas para as respostas.

Onde estão os meninos? ?

Os meninos estão na praia.

O que e que a Celeste ésta a fazer? ?

A Celeste compra um gelado.

Onde estão os peixinhos. ?

Debaixo das algas há peixinhos.

Onde e os meninos brincar? ?

Os meninos brincam na areia molhada.

~~Onde~~ O que e que os meninos estão a ? _fazer?_

Os meninos vão pôr creme protetor.

3 Lê e escreve frases.

domingo	de manhã 2	o cão	estar	janela
2ª feira	à tarde 3	os pais	comer	apartamento
3ª feira	à noite 2	as primas	abrir	bolachas
4ª feira		o coelho	querer	jogar à bola
5ª feira		o Miguel		porta
6ª feira				varanda
sábado			no / na	casota
			à / ao	bolo de anos
				ajuda nos trabalhos de casa
				toca
				...

Ex: Na 3ª feira, à tarde, a Rita quer jogar à bola.

① _Na 2ª feira, à noite, o cão querer jogar à bola._

② _Na 6ª feira, de manhã, o coelho estar comer bolachés, bolo de años e comer cenouras._

③ _Na 3ª feira, à tarde, o Miguel estar a fazer trabalhos de casa._

4 Lê e dramatiza.

 O que está a fazer o caranguejo Jericó na 11ª imagem?

Está a coser um botão nas calças.

5 Lê e completa.

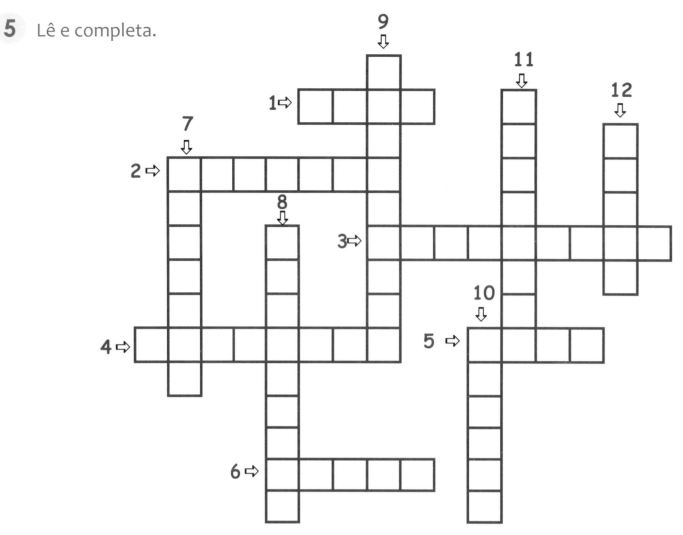

Horizontais
1. Para uma bebida ficar fria pomos...
2. Serve para dormir e brincar no mar.
3. Quando há trovoada ouve-se um trovão e vê-se um...
4. É uma árvore típica dos países quentes.
5. Se não sabes nadar, deves usar uma...
6. É uma pedra muito grande.

Verticais
7. Na areia podes encontrar muitas...
8. É o segundo mês do ano.
9. É um animal marinho em que não deves tocar.
10. É o maior animal marinho.
11. É o último mês do ano.
12. É um fruto e também uma parte da camisola.

6 Lê e dramatiza.

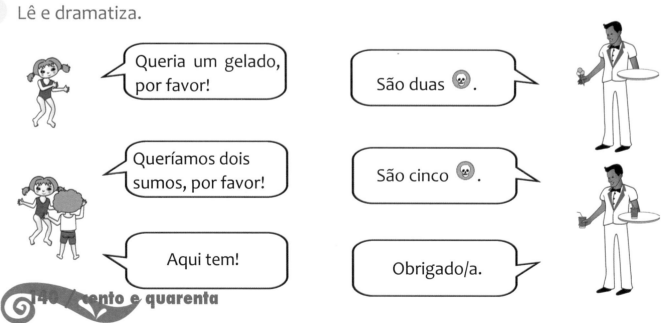

Queria um gelado, por favor!

São duas 💀.

Queríamos dois sumos, por favor!

São cinco 💀.

Aqui tem!

Obrigado/a.

7 Escreve.

Agora eu!

Como é no teu país?

O aniversário...

O Ano Novo...

O Carnaval...

As férias...

O Natal...

A Páscoa...

O começo das aulas...

Curiosidades...

Sabias que...

... quando é inverno em Portugal, é verão em Moçambique?

... no Brasil chamam Papai Noel ao Pai Natal?

... em São Tomé e Príncipe faz calor o ano inteiro?

... _____

... _____

8 Completa o quadro e escreve frases.

As tarefas da Teresa.

segunda-feira estudar matemática
terça-feira lavar a loiça
quarta-feira dar banho ao cão
quinta-feira pôr a mesa
sexta-feira ir à natação
sábado ajudar a avó
domingo arrumar o quarto

Ex.: Na segunda-feira, a Teresa tem de estudar matemática.

Na terça-feira

As minhas tarefas.

segunda-feira
terça-feira
quarta-feira
quinta-feira
sexta-feira
sábado
domingo

Ex.: Na segunda-feira, eu tenho de

9 Aprende e completa.

dizer	saber	trazer	vir	fazer
Eu **disse**	Eu **soube**	Eu **trouxe**	Eu **vim**	Eu **fiz**
Tu **disseste**	Tu **soubeste**	Tu **trouxeste**	Tu **vieste**	Tu **fizeste**
Ele/Ela **disse**	Ele/Ela **soube**	Ele/Ela **trouxe**	Ele/Ela **veio**	Ele/Ela **fez**
Nós **dissemos**	Nós **soubemos**	Nós **trouxemos**	Nós **viemos**	Nós **fizemos**
Vocês **disseram**	Vocês **souberam**	Vocês **trouxeram**	Vocês **vieram**	Vocês **fizeram**
Eles/Elas **disseram**	Eles/Elas **souberam**	Eles/Elas **trouxeram**	Eles/Elas **vieram**	Eles/Elas **fizeram**

Ontem...

Eu (dizer) _disse_ bom-dia ao professor.

Ela (saber) _soube_ que o João já está na escola.

Vocês (trazer) _trouxeram_ o bolo de aniversário.

Tu (vir) _vieste_ de bicicleta.

Nós (fazer) _fizemos_ um piquenique na quinta.

Eles (dizer) _disseram_ obrigado.

Tu (saber) _soubeste_ que a feira começa no domingo?

Eu (trazer) _trouxe_ gelados para todos.

Vocês (vir) _vieram_ de comboio para a cidade.

O João (fazer) _fiz fez_ anos.

Nós (dizer) _dissemos_ boa-noite aos avós.

Vocês (saber) _souberam_ que houve um concurso de histórias?

Tu (trazer) _trouxeste_ um livro novo.

Ela (vir) _viu veio_ da praia muito tarde.

Eu (fazer) _fiz_ todos os trabalhos de casa.

Tu (dizer) _disseste_ ao João para jogar à bola.

Eles (saber) _souberam_ que vamos de férias para o campo.

Nós (trazer) _trouxemos_ fruta para o lanche.

Elas (vir) _vieram_ de autocarro para a escola.

Vocês (fazer) _fizeram_ uma passagem de modelos na escola.

10 Lê e dramatiza.

O que fizeste no domingo?

Eu fui à praia.

...o e escreve.

contar
até 100

querer ir
à praia

vir do
cinema às 21
horas

dar uma
ajuda ao avô ✓

ter muito
calor ✓

estar
doente ✓

ser
simpático

pôr a
mesa ✓

trazer
o cesto do
piquenique

dizer
obrigado/a

ver um
quadro
novo ✓

fazer o
pino ✓

Ontem...

* Eu   _estou doente._ (estive) _____ .
   Tu   _tenho muito calor._ (tive) _____ .
   Ele   _pôs a mesa._ ✓ _____ .
   Ela   _fez o pino._ _____ .
   Nós   _dizemos obrigada._ ✓ _____ .
   Vocês _dão uma ajuda ao avô._ (deram) _____ .
   Eles _veem um quadro novo_ (vieram) _____ .
   Elas _vir vieram do cinema às 21 horas._ _____ .

12 Procura as palavras e completa o texto.

B	T	I	R	D	Z	X	Q	U	L	P	R	A	I	A	E
G	B	U	C	R	T	L	P	Ç	C	E	A	V	N	O	É
E	A	D	A	Ó	L	P	T	E	X	C	B	N	M	O	I
L	E	R	R	O	C	H	A	S	F	T	M	A	Q	T	U
A	G	N	A	M	U	L	O	P	Ç	R	A	D	P	F	V
D	E	R	N	T	J	L	A	L	F	O	R	R	E	C	A
O	Q	D	G	Á	D	F	G	A	T	L	É	P	I	U	O
C	V	B	U	M	U	T	R	N	C	E	V	G	X	J	L
P	A	R	E	I	A	S	D	A	É	D	B	C	I	B	T
Q	D	T	J	O	P	Ç	L	D	C	S	Ú	Z	N	V	A
S	F	P	O	Ç	A	S	O	A	U	J	Z	D	H	E	G
S	D	F	T	U	H	C	E	D	V	B	I	B	O	N	M
V	O	L	E	I	B	O	L	N	U	E	O	R	S	Q	S

Ontem, fez muito calor e o Lucas foi à ___praia___ .

Na praia, jogou ___voleibol___ .

Depois, foi à ~~loc~~ loja _____ e comprou um _____ .

Entretanto, a _____ ficou vazia e ele foi para as

_____ brincar.

Nas _____ encontrou um _____, um

_____, muitos _____ e uma _____ .

Quando voltou para a _____, teve de pôr creme protetor.

13 Lê.

Curiosidades...

Sabias que...

... o peixe que põe mais ovos (300 milhões) é o peixe-lua?

... na família dos cavalos-marinhos é o pai que traz os bebés na barriga?

... as tartarugas põem os ovos na praia onde nasceram, podendo percorrer mais de 2 000 km?

... os saltos da manta para fora de água podem atingir 2 metros?

... o maior animal do planeta é a baleia? A maior é a baleia-azul que pode pesar até 190 toneladas e medir entre 20 e 30 metros.

14 Lê e observa.

Índia

Panjim

GOA

Capital: Panjim
População: 1 347 668 habitantes
Área: 3 702 km²
Moeda: rúpia indiana
Língua oficial: concani

| camarão | vacas sagradas, praia da Baga | mulheres de sári, praia de Palolem | sarapatel |

| pesca artesanal | mercado de Anjuna | plantação de especiarias | elefante |

| porcos | Bairro das Fontainhas, Panjim | praia de Anjuna | bebinca |

15 Lê e observa.

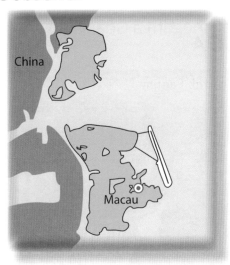

China

Macau

MACAU

População: 538 000 habitantes

Área: 28, 6 km²

Moeda: pataca

Língua oficial: chinês, português

| Hotel Lisboa | jardim do Lou Lim Loc | Catedral de São Paulo | Câmara Municipal de Macau |

| mercado | interior de um templo | Ano-Novo Lunar | Templo A-Ma |

| estandartes comemorativos | casino flutuante | vista da Fortaleza do Monte | peixes secando |

16 Ouve e lê.

Depois de duas semanas de uma viagem calma, chegam a Goa, já ao anoitecer.

Tantas pessoas na praia!

São as famosas festas na praia que se fazem aqui em Goa.

Podemos ir dançar também?

Não. Temos de ir já para Panjim porque amanhã vamos visitar uma plantação de especiarias.

Especiarias? O que é isso?

São plantas que usamos para dar mais sabor à comida.

No dia seguinte, já em Panjim, e depois de um passeio pelo bairro das Fontainhas, apanham um riquexó e vão visitar uma plantação de especiarias.

Que cheirinho!

Temos aqui na plantação uma grande quantidade e variedade de plantas aromáticas: canela, pimenta, baunilha, açafrão, cravinho...

E piri-piri?

Macau

O nome de Macau tem origem no nome de uma deusa chinesa, muito venerada pelos marinheiros e pescadores, chamada A-Ma.

Segundo conta a lenda, um barco de pescadores que navegava pelos mares do Sul da China, num dia calmo de céu azul, foi repentinamente apanhado por uma forte tempestade.

Com o barco à deriva, a esperança dos tripulantes estava quase perdida quando uma rapariga muito jovem e bonita, que tinha embarcado no último minuto, se levantou e ordenou à tempestade que se acalmasse.

Miraculosamente, os ventos pararam de soprar e o mar ficou mais calmo.

Todas as embarcações naufragaram, à exceção do barco de pescadores. Estes chegaram sãos e salvos ao porto chinês de Hoi Keang.

Já em terra, a rapariga dirigiu-se à Colina da Barra e subiu aos céus num raio de luz e perfume, para espanto de todos os que a observavam.

Séculos mais tarde, quando os descobridores portugueses ali chegaram e perguntaram o nome do lugar, os chineses responderam: A-Ma-Gao, a Baía de A-Ma.

Palavras que depressa se transformaram em Macau.

Lenda popular (adaptada)

18 Vamos cantar!

A TERRA DO SOL NASCENTE

Terra à vista!

Chegados a Goa,
Viajámos p´ra Panjim,
Nem deu para dançar
Nas festas que há aqui!

Fomos dar um passeio
P'lo Bairro da Fontainhas
E fomos visitar
Uma plantação de especiarias.

Há muita especiaria
Nesta plantação:
Há canela e piri-piri,
Há pimenta e açafrão.

Também temos baunilha,
Temos cá cravinho,
A mistura destas plantas
É que dá este cheirinho.

Que bom é conhecer
Um pouco do Oriente,
Que bom é viajar
Na Terra do Sol Nascente!

A viagem é longa
Vamos já zarpar,
Macau é o destino
Estou mortinha/o por chegar!

Como aconteceu em Goa
De riquexó vamos andar
E as festas do Dragão
Nós iremos celebrar.

19 Responde.

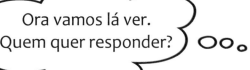

Ora vamos lá ver.
Quem quer responder?

Qual é o maior animal do mundo?
O que é que se usa para proteger do sol?
Em que animal marinho não se deve tocar com o nosso corpo?
Qual é a capital de Goa?

Quando há tempestade veem-se os... e ouvem-se os...
Diz os nomes dos meses do ano.
Em Macau fala-se português e...
Quando está calor na praia, guardamos as bebidas numa...

40

a cegonha

a preguiça

o papel higiénico

a fogueira

a tenda

o riacho

ter calor

ter frio

a lanterna

acampar

o cisne

a fronha

o lençol

o cobertor

a estrela

o morcego

a lua

a coruja

o bosque

o pirilampo

o mosquito

o spray

ressonar

ronc... fiu... ronc... fiu... rooonc...

o repelente

o saco-cama

o panda

a grelha

o candeeiro a gás

o cantil

a lenha

a brasa

a lata

41

1 Ouve e lê.

Uma cozinheira distraída

Os meninos foram dar um passeio. Quando voltaram ao acampamento estavam cheios de fome.

Ao anoitecer...

Rapidamente o Miguel se esqueceu da fome e foi à descoberta dos pirilampos.

A fogueira já está pronta e a Timi assa o peixe.

A Sofia põe a mesa.

> Isto está a ficar com bom aspeto!

> Ora, somos 6.

A Bruna tira as batatas da panela para as pôr numa tigela.

A Celeste mistura o tomate e a alface e prova.

> As batatas já estão cozidas.

> Hum! Falta um bocadinho de azeite e vinagre!

> O peixe também já está pronto! Miguel, podias trazer-me uma travessa, por favor?

> Miguel! Miguel! Onde está o Miguel??

> Olhem! Vem ali ao fundo e traz qualquer coisa na mão! O que será?

Enquanto uns olham...

... outros comem!

> Oh, não! Temos que comer outra vez salsichas!!!

2   Lê e responde.

Como estavam os meninos quando voltaram ao acampamento?

_____

Que tarefas fez cada um dos personagens? Liga.

A Timi	•	• fez a salada.
A Sofia	•	• foi arranjar lenha.
O Lucas	•	• lavou a loiça.
A Celeste	•	• pôs a mesa.
O Miguel	•	• grelhou o peixe.
A Bruna	•	• descascou e cozeu as batatas.

O que viu a Timi ao fundo na erva?

_____

Quem foi à descoberta dos pirilampos?

_____

O que fez o gato?

_____

No fim, o que tiveram de comer todos ao jantar? Assinala.

○ Peixe grelhado.
○ Frango assado.
○ Salsichas.
○ Sopa de batata.

3   Lê.

Curiosidades...

Sabias que...

... os golfinhos podem dar saltos até 7 metros?
... um elefante come cerca de 140 quilos de vegetais por dia?
... o urso-polar é um excelente nadador: numa hora pode percorrer 10 a 35 quilómetros?
... a preguiça dorme pelo menos 20 horas por dia?
... o panda passa 12 horas por dia a comer folhas e rebentos dos bambus?
... o dromedário é capaz de beber mais de 100 litros de água em poucos segundos?

4 Joga com um colega.

A batalha dos mágicos

A bruxa Luci e o feiticeiro Edu zangaram-se e fizeram uma batalha de feitiçaria.
A bruxa Luci agarrou numa colher de pau e disse:
– Eu vou transformar a árvore num morcego!

Eu vou transformar...

5 Lê e completa.

o coelho	a coelha
o menino	a menina
o aluno	a aluna
o médico	a medica
o lobo	a loba
o gato	a gata
o padeiro	a padeira
o veterinário	a veterinária
o macaco	a macaca

6 Lê e liga.

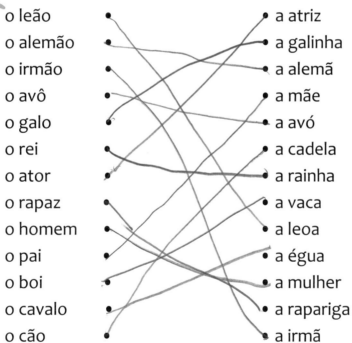

Mas...

o leão · · a atriz
o alemão · · a galinha
o irmão · · a alemã
o avô · · a mãe
o galo · · a avó
o rei · · a cadela
o ator · · a rainha
o rapaz · · a vaca
o homem · · a leoa
o pai · · a égua
o boi · · a mulher
o cavalo · · a rapariga
o cão · · a irmã

7 Lê e liga.

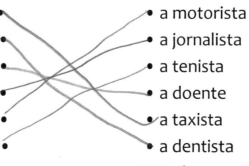

Mas...

o taxista · · a motorista
o dentista · · a jornalista
o doente · · a tenista
o jornalista · · a doente
o motorista · · a taxista
o tenista · · a dentista

8 Joga com um colega.

 Onde está o rato número 14?

 Está em cima da estante.

9 Escreve.

o meu dia a dia

_____
_____
_____
_____
_____
_____
_____
_____
_____
_____
_____
_____
_____
_____
_____

10 Lê e responde.

Qual é o peixe que põe mais ovos? _____

Quem é que tem os bebés cavalos-marinhos? _____

Onde é que as tartarugas põem os ovos? _____

Quantos metros pode atingir o salto da manta fora de água? _____

Qual é o maior animal do planeta? _____

Quantos metros salta um golfinho? _____

Quantos quilos de vegetais come um elefante por dia? _____

Quantos quilómetros por hora percorre um urso-polar a nadar? _____

Quantas horas por dia dorme uma preguiça? _____

O que come o panda? _____

Quantos litros de água bebe um dormedário em poucos segundos? _____

11 Pergunta a um colega e escreve as respostas.

Quem és tu?

Como te chamas?
Gina Godinho

Quantos anos tens?
_8_

Onde moras?
Londres

Onde nasceste?
Chelsea Westminter ~~hos~~ hospital

Qual é a data do teu aniversário?
26 Outubro

Como se chama o teu/a tua ou os teus/as tuas melhores amigos/as?
Eva Martha

Como se chamam os teus pais?
Ana Maunel

Quantos anos têm os teus pais?
_~~38~~ 39 41_

Tens irmãos? Como se chamam?
Leonor Inês Sebastião

Quantos anos têm os teus irmãos?
_7 4 0m_

Qual é a profissão do teu pai?
escritorio

E a da tua mãe?
escola

O que é que mais gostas de fazer nos teus tempos livres?
brincar

Tens algum animal de estimação?
tartaruga

Qual é o teu filme preferido?
~~Floo~~ FLOPPY

Qual é a tua cor preferida?
azul

Qual é o desporto que gostas mais de praticar?
~~tennis~~ tenis

Qual é a comida de que mais gostas?
masa

Qual é a tua profissão de sonho?
doutor maths

Qual é a tua disciplina preferida?
matematica

Que desporto é que gostavas de fazer, mas não fazes?
basketebol

Qual é o animal que gostavas de ter, mas não tens?
cão

Qual é o teu músico preferido?
radio Little Mix

O que é que mais gostas de ler?
micheal morgoro

Onde vais nas férias?
portugal

12 Com as informações do exercício anterior, completa.

El__ chama-se _____.

El__ tem _____ anos.

El__ mora _____.

El__ nasceu _____.

El__ faz anos a _____.

O(s) melhor(es) amigo(s) chama(m)-se _____.

O pai del__ chama-se_____ e a mãe chama-se_____.

O pai del__ tem _____ anos a mãe del__ tem _____ anos.

El__ tem / não tem_____.

O(s) irmão(s) têm _____ anos.

O pai del__ é _____.

A mãe é _____.

El__ gosta de _____.

El___ _____.

O filme preferido del__ é _____.

A cor preferida del__ é _____.

O desporto que mais gosta de praticar é _____.

A comida de que mais gosta é _____.

A profissão de sonho del__ é _____.

A disciplina preferida del__ é _____.

O desporto que gostava de fazer é _____.

O animal que mais gostava de ter é _____.

O seu músico preferido é _____.

O que mais gosta de ler é _____.

Nas férias vai _____.

13 Lê e observa.

TIMOR-LESTE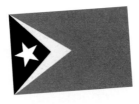

Capital: Díli
População: 1 066 582 habitantes
Área: 14 874 km²
Moeda: dólar americano
Língua oficial: português, tétum

| Lagoa Maubara | Baucau | Jaco | Manatuto |

| búfalos | Maubisse | Oecusse | Ataúro |

| avenida Díli | cristo-rei | padrão | monumento da Independência, Díli |

14 Lê e liga.

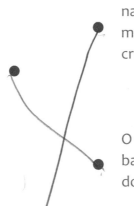

O tukir é um prato típico que não pode faltar nas grandes festas de família. É feito com carne de cabrito que é colocada dentro de canas de bambu e assada lentamente sobre as brasas.

A fauna de Timor Leste é muito rica, principalmente nas suas águas, onde se pode encontrar corais maravilhosos, estrelas do mar, peixes coloridos e crocodilos marinhos.

O arroz é um produto cultivado em Timor Leste e base da alimentação de 60% da população, para além do milho, mandioca, inhame e banana.

A produção do café é muito importante para a economia timorense, sendo a maior fonte de rendimento para os agricultores nas montanhas e também o principal produto de exportação do país (80%).

O tai é uma peça de vestuário tradicional que é usado em diferentes festas: apresentação de um recém-nascido, casamento, inauguração de uma casa, etc.
As salendas, pequenas faixas, são muito populares como elementos de troca ou como presentes.

Timor-Leste é um país muito montanhoso e tem um clima tropical. As chuvas das monções provocam, frequentemente, avalanches de terra e cheias.
Na região de Fatuluk, em Desa Rasa, Los Palos, encontramos as lee teinu, ou casas com pernas, que permitem proteger os habitantes das enchentes e do ataques de animais.

15 Ouve e lê.

E, finalmente, depois de fantásticas aventuras, chegam a Timor-Leste.

Terra à vista!

Que saudades que eu tinha de Timor!

Tantas montanhas! E tão altas!

Há muitas montanhas em Timor. A mais alta de todas chama-se Ramelau e mede 2963 metros.

Olhem! Já estou a ver casas junto à praia!

São as nossas casas tradicionais. São assim por causa da época das chuvas e para proteger as pessoas dos animais perigosos.

Entretanto, chegam a Díli e desembarcam.

Olá, amigos! Aceitem estas salendas como um sinal de boas-vindas a Díli!

Uau! Que desenhos tão bonitos!

E são tão coloridas!

Se gostam de coisas coloridas, então vou levar-vos ao Mercado dos Tais. Vocês vão adorar!

Quem quer um tai? Dá para usar de várias maneiras. Dá para homem e para mulher.

De volta à caravela, os animais conversam sobre a viagem.

O crocodilo velho e o rapaz

Há muito, muito tempo, havia um crocodilo muito velhinho que vivia em Celebes, uma ilha da Indonésia.

Como era muito velho, já não conseguia apanhar peixe e estava quase a morrer de fome.

Um dia, saiu da água e foi até à floresta à procura de alguma coisa para comer.

Andou, andou, andou, mas não encontrou nada e ficou sem forças.

Um rapaz viu o crocodilo tão cansado que teve pena dele e quis ajudá-lo. Pegou-lhe na cauda e arrastou-o até à água. O crocodilo ficou tão feliz que disse ao rapaz:

– Muito obrigado, meu rapaz! Sempre que quiseres passear no rio ou no mar, vem ter comigo.

O rapaz ficou tão contente que, a partir daquele dia, fizeram muitas viagens juntos.

O crocodilo gostava muito do rapaz, mas a fome era tanta que pensou em comê-lo. Falou com os outros animais e todos acharam que era má ideia. O crocodilo também achou, afinal o rapaz tinha-lhe salvado a vida.

Triste, resolveu partir para longe, envergonhado por ter tido tal ideia.

Convidou o rapaz, seu único amigo, para ir com ele. O rapaz sentou-se no dorso do crocodilo e partiram mar fora.

Passado algum tempo, o crocodilo ficou tão cansado que decidiu parar para descansar. Nesse momento, o seu corpo começou a crescer, a crescer... e transformou-se em pedra e terra. Cresceu tanto que ficou do tamanho de uma ilha!

E assim nasceu a ilha de Timor-Leste e o rapaz foi o seu primeiro habitante.

Lenda popular (adaptada)

17 Vamos cantar!

43

NUNCA DIZEMOS ADEUS A QUEM TEMOS NO CORAÇÃO

Terra à vista!

Tantas montanhas
Que há em Timor,
São todas tão altas!
Qual é a maior?

Ramelau é a maior
Com quase três mil metros
Escalá-la é difícil,
Podem estar bem certos!

Há casas com pernas
Aqui, à beira-mar.
Protejem-nos das cheias
Na época das chuvas
E também de animais
Que queiram atacar.

Desembarcados em Díli,
Recebem-nos com uma prenda.
P'ra nos dar as boas-vindas,
Dão-nos uma salenda.

Visitamos depois
O Mercado dos Tais
Vou levar como prenda
Os que acho mais bonitos
P'ra dar aos meus irmãos
E também aos meus pais.

Foi tudo tão bom!
Nem posso acreditar
Que a nossa aventura
Está quase a terminar!

P'lo mundo viajámos
Ansiosos por encontrar
Amigos como nós
Que Português saibam falar.
Tudo isto começou
Quando a Timi conheci.
Com ela fiz muitos amigos,
Com ela aprendi.

Nunca dizemos adeus
A quem temos no coração.
De tudo o que aprendi
De tudo o que vivi
Esta é a maior lição!

"Até sempre", Amigos!

18 Responde.

Qual é o animal que ilumina a noite?
Quem come o peixe grelhado no acampamento?
Como se chama a montanha mais alta de Timor-Leste?
Qual é o maior país lusófono?

Para fazer uma fogueira precisamos de...
O cão, a...; o cavalo, a... ; o leão, a...
Num acampamento dormimos numa...
25 x 3 = ...

Ora vamos lá ver.
Quem quer responder?

1. Dobra na diagonal.

2. Dobra novamente ao meio, para o lado esquerdo.

1   **2**

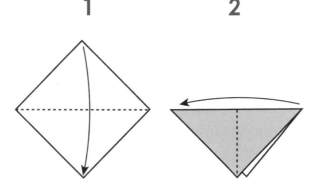

3. Puxa A para a direita.

4. Vira a parte dobrada para baixo.

3   **4**

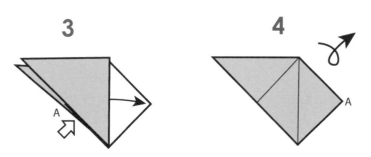

5. Vira B para a esquerda. Puxa a parte dobrada para baixo como na figura número 4.

6. Ficará assim depois de dobrado.

5   **6**

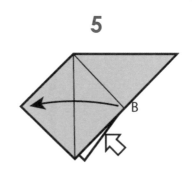
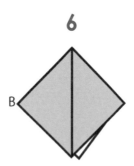

7. Dobra e abre para obter dois vincos.

8. Dobra e abre o canto de cima como na figura.

7   **8**

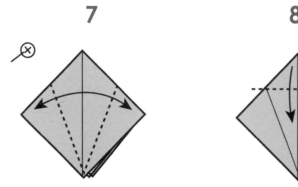

9. Segura na ponta superior e puxa A para cima.

10. Faz um corte até ao vinco horizontal e vira as pontas para fora.

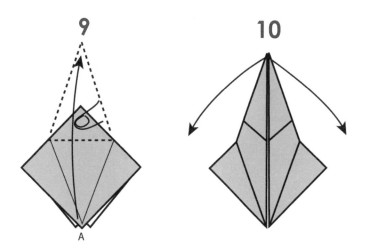

11. Deverá ficar com este aspeto depois de dobrado.

12. Faz uma dobra tipo harmónio.

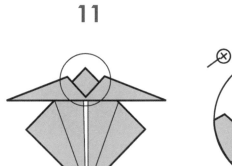

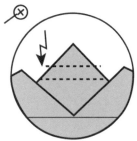

13. Depois de dobrado, deverá ficar assim.

14. Dobra as pontas para dentro para obter as patas dianteiras.

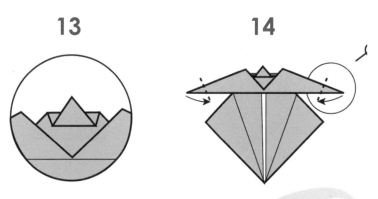

15. Ficará assim, depois de dobrado.

16. Dobra as duas pontas inferiores como aparece na figura.

15   **16**

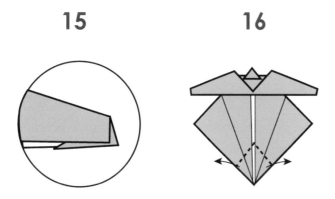

17. Dobra os dois cantos para formar a carapaça.

18. Faz uma dobra em forma de harmónio.

17   **18**

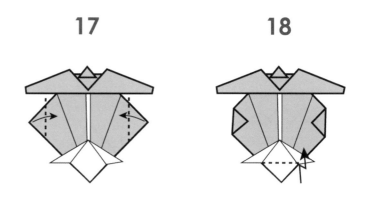

19. Vira a dobragem para baixo.

20. Aqui tens a tua Timi!

19   **20**

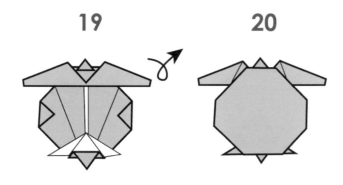

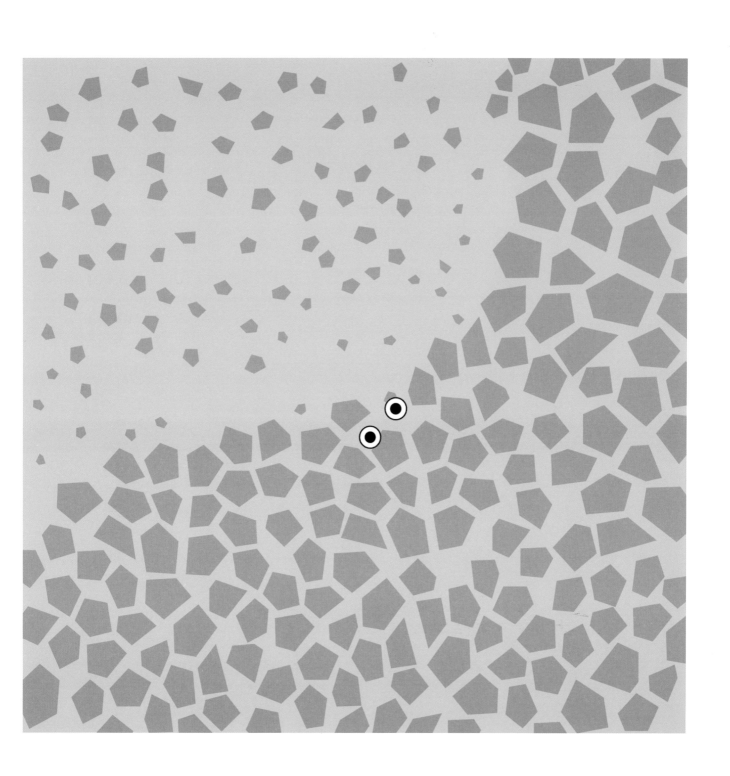

→ Kenel

→ dicionário

→ ostric

→ aguilha

→ lenço

→ gramas

→ azeite

→

→

→

→

→

CD

Portugal

ananás, Açores (Marta Gôja)
estátua Fernando Pessoa, Lisboa (Isabel Borges)
cão Castro Laboreiro (Teresa Gôja)
calçada portuguesa (Isabel Borges)
Lagoa do Fogo, Açores (Marta Gôja)
galo de Barcelos (Teresa Gôja)
bananas, Madeira (Isabel Borges)
pastel de nata (Isabel Borges)
castelo de Leiria (Marta Gôja)
espigueiro, Minho (Teresa Gôja)
elétrico, Lisboa (Isabel Borges)
Ribeira do Porto (Paulo Rebelo)
Pico Açores (Adolfo Flores/Beatriz Blanco)
Amália Rodrigues
bacalhau (Isabel Borges)
casa típica de Santana, Madeira (Rita Gôja)
torre de Belém (Isabel Borges)
rio Douro (Adolfo Flores/Beatriz Blanco)

BD
torre de Belém (Isabel Borges)

Cabo Verde

Santo Antão (Adolfo Flores/Beatriz Blanco)
Pico do Fogo, Fogo (Adolfo Flores/Beatriz Blanco)
pesca artesanal (Isabel Borges)
Mindelo, São Vicente (Adolfo Flores/Beatriz Blanco)
Carnaval do Mindelo, São Vicente (Sapo_CV)
trapiche, Santo Antão (Isabel Borges)
Tarrafal de Monte Trigo (Isabel Borges)
Festival de Música da Baía das Gatas, São Vicente (Sapo_CV)
Kikilima
dragoeiro (Hilda Téofilo)
torre de Belém, São Vicente (Celeste Fortes)
cuscuz (Isabel Borges)
cachupa (Isabel Borges)
Kola Son Jon (Moinho da Juventude)
tartaruga (Sofia Carvalho de Almeida)
Cidade Velha (Adolfo Flores/Beatriz Blanco)

BD
torre de Belém, São Vicente (Celeste Fortes)
Festival de Música da Baía das Gatas, São Vicente (Sapo_CV)

Guiné-Bissau

Fanado, cerimónia tradicional, Bubaque, Bijagós (Adilson Bidjanque)
mulher Bijagó a fazer saia tradicional (Adilson Bidjanque)
piroga no Rio Geba, Bafat (Hugo Curado)
Bubaque, Bijagós (Hugo Curado)
hipopótamos (Sofia Carvalho de Almeida)
homem com manto (Sofia Carvalho de Almeida)
mulheres (Sofia Carvalho de Almeida)
homem (Sofia Carvalho de Almeida)
palhota (Sofia Carvalho de Almeida)
tartaruga (Sofia Carvalho de Almeida)
tear (Sofia Carvalho de Almeida)
rapaz ritual (Sofia Carvalho de Almeida)
cabaceira (Júlio Alves)
mulheres a pescar (Júlio Alves)
arrozal (Júlio Alves)
mercado de rua (Júlio Alves)
tabanca (Júlio Alves)
crocodilo (Júlio Alves)

BD
Bubaque, Bijagós (Hugo Curado)

São Tomé e Príncipe

Boca do Inferno (Isabel Borges)
United Buddy Bears, Ismael Sequeira (José Chambel)
Pico Cão (Isabel Borges)
café (Isabel Borges)
hibisco (Isabel Borges)
Eduardo Male (Eduardo Malé)

praia dos Tamarindos (Isabel Borges)
banana-pão (Isabel Borges)
Ilha do Príncipe (Isabel Borges)
pesca tradicional (Isabel Borges)
casa tradicional (Isabel Borges)
moto-táxis (Isabel Borges)
marco do Equador (Isabel Borges)
tartarugas (Isabel Borges)
roça Agostinho Neto (Isabel Borges)
Parque Natural de Obô (Isabel Borges)
tchiloli (René Tavares)
rosa porcelana (Isabel Borges)

BD
Ilhéu das Rolas (Isabel Borges)
praia café (Isabel Borges)
roça Agostinho Neto (Isabel Borges)

Angola

baía de Luanda (Miguel Macedo)
girafa (Hugo Rodrigues)
Fenda de Tundavala (Miguel Macedo)
Miradouro da Lua (Miguel Macedo)
gnu (Hugo Rodrigues)
Serra da Leba (Júlio Alves)
deserto do Namibe (Júlio Alves)
Quedas de água de Kalandula (Júlio Alves)
Pungo-a-Ndondo (Júlio Alves)
pôr-do-sol (Miguel Macedo)
macacos (Catarina Henriques)
impala (Hugo Rodrigues)
palanca negra
Pensador de Chokwe (Hugo Rodrigues)
kuduro (Miguel Macedo)
Mumuíla (Catarina Henriques)
imbondeiro (Hugo Rodrigues)
welwitschia mirabilis (Miguel Macedo)

BD
baía de Luanda (Miguel Macedo)
kuduro (Miguel Macedo)
kuduro (André Soares)

Brasil

baiana (Javier Fernandéz Alvaréz)
papagaio (Javier Fernandéz Alvaréz)
brigadeiros (Isabel Borges)
Mangue Seco (Adolfo Flórez/Beatriz Blanco)
Corcovado (Elisabete Nunes)
orelhão (Javier Fernandéz Alvaréz)
Rio de Janeiro (Adolfo Flórez/Beatriz Blanco)
bondinho (Elisabete Nunes)
Niterói (Adolfo Flórez/Beatriz Blanco)
Salvador da Baía (Javier Fernandéz Alvaréz)
urubú (Javier Fernandéz Alvaréz)
mercado de Ipanema (Elisabete Nunes)
Rio Amazonas (Adolfo Flórez/Beatriz Blanco)
capoeira (Javier Fernandéz Alvaréz)
Oludum (Javier Fernandéz Alvaréz)
Lençóis do Maranhão (Adolfo Flórez/Beatriz Blanco)
Adriana Partimpim (Isabel Borges)

BD
praia (Javier Fernandéz Alvaréz)

Moçambique

Mercado do Pau (Filipe Galvão)
Maputo (Filipe Galvão)
imbondeiros (Adolfo Flórez/Beatriz Blanco)
Ntaluma, artista Maconde (Ntaluma)
pesca artesanal (Susana Pinto Coelho)
anémona (Adolfo Flórez/Beatriz Blanco)
elefantes (Susana Pinto Coelho)
Bazaruto (Adolfo Flórez/Beatriz Blanco)
cubata (Adolfo Flórez/Beatriz Blanco)
brinquedos (Adolfo Flórez/Beatriz Blanco)
leões (Adolfo Flórez/Beatriz Blanco)
boneca tradicional (Isabel Borges)
capulanas (Adolfo Flórez/Beatriz Blanco)
Ilha de Moçambique (Adolfo Flórez/Beatriz Blanco)

timbila (Nuno Morão)
Macuas (Adolfo Flórez/Beatriz Blanco)
Parque Nacional de Gorongosa (Susana Pinto Coelho)
batik (Adolfo Flórez/Beatriz Blanco)

BD
brinquedos (Adolfo Flórez/Beatriz Blanco)
Bazaruto (Adolfo Flórez/Beatriz Blanco)
hipopótamos (Filipe Galvão)
girafas (Susana Pinto Coelho)
pesca (Adolfo Flórez/Beatriz Blanco)

Goa

camarão (Isabel Borges)
vacas sagradas, praia da Baga (Isabel Borges)
mulheres de sari, praia de Palolem (Susana Pinto Coelho)
sarapatel (Isabel Borges)
pesca artesanal (Isabel Borges)
mercado de Anjuna (Isabel Borges)
plantação de especiarias (Isabel Borges)
praia de Anjuna (Isabel Borges)
elefante (Isabel Borges)
bebinca (Isabel Borges)
porcos (Susana Pinto Coelho)

Macau

templo A-Ma (Fernando Neves)
jardim do Lou Li Mioc (Fernando Neves)
catedral de São Paulo (Fernando Neves)
Câmara Municipal de Macau (Fernando Neves)
mercado (Fernando Neves)
interior de um templo (Fernando Neves)
Ano Novo Lunar (Fernando Neves)
Casino flutuante (Fernando Neves)
estandartes comemorativos (Fernando Neves)
templo budista (Fernando Neves)
vista da Fortaleza do Monte (Fernando Neves)
peixes a secarem (Fernando Neves)

BD
mulheres de sari, praia de Palolem (Susana Pinto Coelho)
plantação de especiarias (Isabel Borges)

Timor-Leste

Baucau (Lidel)
Jaco (Lidel)
Manatuto (Lidel)
Búfalos (Hugo Curado)
Maubisse (Lidel)
Oecusse (Lidel)
Ataúro (Lidel)
avenida Díli (Lidel)
cristo-rei (Lidel)
padrão (Lidel)
Monumento da Independência Díli (Hugo Curado)
Lagoa Maubara (Hugo Curado)
Tukir (Lidel)
crocodilo (Hugo Curado)
arrozal (Hugo Curado)
café (Lidel)
traje tradicional (Hugo Curado)
casa tradicional de Lautem (Hugo Curado)

BD
Lagoa Maubara (Hugo Curado)
casa tradicional de Lautem (Hugo Curado)
músicos, Lautem (Hugo Curado)
Mercado dos Tais (Hugo Curado)
Jardim Díli (Hugo Curado)